Almost no Spanish literary work has achieved a sounder and steadier popularity than LAZARILLO DE TORMES, *a forerunner of the picaresque novel. This seemingly simple story has been an endless riddle that has intrigued readers for centuries.*

EL ABENCERRAJE *first presented to prose fiction the well-known literary figure of the noble, chivalrous Moor. The story of his deeds in love and war are here set against the splendid and melancholy background of the last years of the Moslem kingdom of Granada.*

CLAUDIO GUILLÉN *is Professor of Spanish and Comparative Literature at the University of California, San Diego. He has taught at Princeton, Harvard and the University of Cologne and has published extensively on the picaresque novel, Spanish poetry and literary theory.*

A NOTE ON THE GENERAL EDITOR

Vicente Llorens, Professor of Spanish at Princeton University, has taught at the Universities of Genoa, Marburg, Cologne, Santo Domingo, Puerto Rico and Johns Hopkins. He is the author of LIBERALES Y ROMÁNTICOS, a book on the literature of the Spanish exiles in England from 1823 to 1834, and has written many articles on Spanish literature for literary and scholarly periodicals.

AVAILABLE TITLES PREPARED
UNDER THE GENERAL EDITORSHIP
OF VICENTE LLORENS:

Miguel de Cervantes Saavedra,
THREE EXEMPLARY NOVELS:
El Licenciado Vidriera, El Casamiento engañoso and
El Coloquio de los perros.
Introduction and notes by Juan Bautista Avalle-Arce.

Tirso de Molina, EL BURLADOR DE SEVILLA and
LA PRUDENCIA EN LA MUJER.
Introduction and notes by Raymond R. MacCurdy.

RENAISSANCE AND BAROQUE POETRY OF SPAIN
(with English prose translations).
Edited and introduced by Elias L. Rivers.

Federico García Lorca, OBRAS ESCOGIDAS.
Introduction and notes by Eugenio Florit.

ALSO AVAILABLE IN THE
SPANISH SERIES:

Lope Félix de Vega Carpio, FUENTE OVEJUNA
and LA DAMA BOBA.
Introduction and notes by Everett W. Hesse.

Pedro Calderón de la Barca, LA VIDA ES SUEÑO and
EL ALCALDE DE ZALAMEA.
Introduction and notes by Sturgis E. Leavitt.

Benito Pérez Galdós, DOÑA PERFECTA.
Introduction and notes by Rodolfo Cardona.

Juan Goytisolo, FIESTAS.
Introduction and notes by Kessel Schwartz.

Lazarillo De Tormes
AND El Abencerraje

Introduction and notes by CLAUDIO GUILLÉN

General Editor, Spanish Series, VICENTE LLORENS

THE LAUREL LANGUAGE LIBRARY

Published by
DELL PUBLISHING CO., INC.
750 Third Avenue, New York, N.Y. 10017
Copyright © 1966, Dell Publishing Co., Inc.
All rights reserved
Laurel ® TM 674623, Dell Publishing Co., Inc.
First printing—December, 1966
Printed in U.S.A.

Lazarillo De Tormes
AND El Abencerraje

Contents

Introduction

No Spanish literary work, with the exception of *Don Quixote*, has achieved a sounder and steadier popularity than *Lazarillo de Tormes*. Although the prestige of other works or writers may have been greater at times, they also underwent, like Calderón or *La Celestina*, long periods of oblivion. One could recall in detail the numerous translations of *Lazarillo* that were published since it first appeared in 1554. But a more remarkable fact is that the original text of the story, serving as a representative of the Castilian language and Spanish letters, was printed and read in many countries outside of Spain through the centuries. Foreign editions of the original Spanish were published during the first decades of the nineteenth century, for example, in Leipzig, Gotha, Stuttgart, Paris, Bordeaux, Oxford and Philadelphia. In our day critical editions, from America to the Soviet Union, have been legion. Innumerable studies have been written on *Lazarillo* without apparently beginning to exhaust the subject. These are obvious facts of literary history. But such facts are more readily observed than accounted for.

It is true that the Elizabethan translation by David Rowland, edited in 1586, appealed to the British reader's curiosity concerning a rival power and an ignored land; prefatory verses by George Turberville specified that *Lazarillo* was an instance of "the Spaniard's pranks"

> and how they live in Spaine.
> He sets them out to shewe
>   for all the world to see,
> that Spaine, when all is done, is Spaine,
>   and what those gallants be.

The Spanish picaresque novels of later years, all made possible by *Lazarillo*, with their insistence on squalor and corruption, were also read with pleasure by the enemies of Spain, who were numberless at the time. But national animosities usually cause no more than passing fashions. And *Lazarillo* was never quite forgotten. Although Le Sage's *Gil Blas* seemed to outshine it as a picaresque model during the eighteenth century, it did not consign it to oblivion. After its novelty wore off, *Lazarillo* did not lose the freshness, the curiously mysterious qualities that make of this apparently simple and humble story an endless riddle. One wonders indeed whether "the Spaniard's pranks" were not played above all on the reader, as they still are today.

Could we not easily be deceived, for example, by the Preface, which seems so persuasive? We find, after rereading it with some care, that an apparently humble and simple man is speaking. The story that is to follow is called a trifle ("nonada"). Such shows of modesty were an accepted rhetorical device of the exordium. On the one hand, it seems appropriate for a man of low origin to express himself in unpretentious tones. On the other, Lázaro explains that he has risen above his station and regards the trifles of his life as noteworthy and memorable. The reader soon realizes that the guileless surface of the words is illusory. The Preface follows, as it were, the last chapter of the book, for the narrator-hero is speaking in character, that is to say, with malice and hidden pride. His very first sentence announces remarkable things, never heard of or seen before ("cosas tan señaladas, y por ventura nunca oídas ni vistas"), as Ariosto had promised at the beginning of his famous epic "cosa non detta mai in prosa, nè in rima." Yet *Lazarillo* is no epic poem. Lázaro's language is mock-serious insofar as he is applying lofty epithets to a dishonorable life. It is truthful in that he presents and asserts himself, unheroic though he is, as a hero. One of the main innovations of the book resides indeed in the confident and independent frame of mind with which the roguish protagonist recalls, and pretends to regard as exemplary, his dubious career. Not only the Preface but the entire story of his life, and the control that he achieves over it by telling it, are actually the hero's ultimate roguish action.

Similarly, Lázaro addresses respectfully in the Preface a well-born gentleman ("vuestra merced") while praising self-made men and slighting those who have inherited noble estates ("heredaron nobles estados"). He mentions with sympathy the acquisition of fame and honor by writers (like himself), soldiers and preachers, even though he, Lázaro de Tormes, sold his own honor to the Archpriest of San Salvador, his wife's established lover, and was able to see through the social pretences of the *escudero,* his third master. Like the squire, in fact, he is strutting and pretending, only with more knavery and less faith. In the Preface as in Chapter VII the hero is playing the social conformist while suggesting also that he, of course, is not his own dupe. The main point is that language here is the instrument of dissimulation and irony, and that this is a skill in which we, the readers, are being trained from the start. The entire tale, as it will be told by the hero himself in the first person, will be wrapped up in this double perspective of self-conceal-ment and self-revelation, outer appearance and inner truth. Words should hide and protect a man's inner being but, as Lázaro discovers in the end, not absolutely so.

To mention but one more irony, some of Lázaro's half-hidden allusions have contemporary history as an object. He compares his rising fortunes with those of Spain as a political power. His father, a poor miller and occasional thief, had died in "la de los Gelves," one of the hard-fought and ultimately futile battles for the island of Djerba, off the coast of Tunis. But Lázaro, having improved his lot so-cially, links at the end of his book his success—"mi pros-peridad"—with the triumphs of Charles V—"nuestro victorioso Emperador"—and their aftermath in the Cortes of Toledo, presumably the festivities that took place in 1525 after the battle of Pavia. Our hero's insolence is three-fold: his own self-improvement having been dishonorable, the parallel destiny of Spain is tarnished by association;

this dual rise, furthermore, is related to the wheel of fickle Fortune and the expectation of future turns for the worse; finally, not only Lázaro's honor but his show of national solidarity are dubious and as much a matter of convenience as the social compliance we have just observed in the Preface. In truth, the narrator is a very lonely man.

He has been lonely since early childhood. In the history of narrative forms *Lazarillo de Tormes* represents the first significant appearance of the myth of the orphan. This is surely one of the conditions of its considerable originality and influence. All later picaresque novels, beginning with Mateo Alemán's *Guzmán de Alfarache* (1599), will build variations on the same, highly suggestive theme. Like all genuine novelistic themes, it implies the temporal development of a relationship between the hero and his immediate environment and can only be described, however briefly, in narrative fashion. A young orphan faces early dishonor or want and is led to break all ties with his native city. Left without a father, or a mother, or both, he is obliged to fend for himself in an environment for which he is not prepared. He is for the moment an insular and isolated being. There has been no opportunity to adapt him to ruling conventions or to shape him into a social or a moral person. The beginnings of knowledge are forced upon him by the shock of premature experience. All values must be rediscovered by him anew, as if by a godless Adam. Innerly and outerly alone, he is wounded, hardened and never quite assimilated by an adult society and its many scandals. Yet he soon learns that there is no material survival without it, and no real refuge—no pastoral paradise—beyond it. Unable to either join or in fact reject his fellowmen, he chooses to compromise and live the life of a "half-outsider." This story of partial alienation has lent itself to the most varied developments from the sixteenth century to our day. In the passages which show Lazarillo wandering from village to village, looking for a shelter and a master, one recognizes easily enough an early figuration of the kind of freedom and quest that is the burden of the heroes of modern novels. There is no doubt but that *Lazarillo* is a forerunner not only of the picaresque tale but of the modern novel (within the Spanish curve spanning *La Celestina* and *Don Quixote*) and the presentation of the hopes and failures of men who, orphan-like but inquiring, far removed in practice from any abstract canons, test their knowledge as they grow older and confront or work out the compromises that will determine their lives.

In this little novel, narrative technique is an aspect of fiction, or even presents itself as fiction. The exceptionally inventive uses of the first-person form, especially, fulfill a number of important functions. As I have indicated already, it is surprising that a rogue should be the hero. Pedro Salinas has pointed out that low-life characters had been previously little more than supporting actors. Now our *pícaro* steps to the center of the stage. Besides, the first-person form had been used traditionally in order to buttress the illusion of a fantastic tale, or to teach a lesson. Now the humbler aspects of daily living are justified and enhanced by means of the same technique. *Lazarillo* is, furthermore, a pseudo-autobiography. In his eagerness to create an impression of reality the author conceals even the process of illusion-making. The fictional elements not only in the "told" but in the "telling" might have been a hindrance. It is bolder to proffer fiction as nonfiction, a device which in this case, as Américo Castro has said, is supported by the fact that the novel is also anonymous.

What is the difference, moreover, between an autobiography and the general use of the first-person form in a poem, a speech or an essay? The autobiographer portrays of course his entire life. Though he need not say everything, the truth or the significance of his task resides in the whole, not only in the parts. This means that the simplest, least spectacular details can play a part in relation to the whole. It also means that their individuality can be stressed. Naturally the autobiographer could limit himself to being a witness and presenting externals. But *Lazarillo* belongs to a

central tradition of autobiography since the growth of
Christianity, largely a confessional one, whereby the author
unveils his inner personality. Lázaro is conscious of being
a unique human being, among other reasons because his
allegiance to the collective values of the community is
hypocritical. The first-person form becomes, then, a way of
bringing nearer to the startled reader the peculiar character
of an individual existence.

One should not overestimate, however, the role played
here by a "secularized confession" after the Augustinian
mode. Rather than an outpouring of feelings, as in Boccaccio's *Fiammetta* and its imitations, we seem to be reading a cautious confession almost in the sense of a judicial
report. *Lazarillo* is actually an epistle—although written,
oral in tone ("como vuestra merced habrá oído," etc.)—on
which the reader is allowed to eavesdrop: "y pues vuestra
merced escribe se le escriba y relate el caso muy por extenso. . . ." The writing of it is an obedient act, like St.
Teresa's *Vida,* but is directed to a gentleman who is linked
with a character in the story, the Archpriest of San Salvador, who is intimate with Lázaro's wife—"el señor Arcipreste de San Salvador, mi señor, y servidor y amigo de
vuestra merced. . . ." In other words, Lázaro is reporting
and justifying himself to his master's master. He, the in-
significant but cunning outsider, must explain his actions
to a powerful insider. This initial situation seems particularly relevant to a story with so many *alguaciles,* public
whippings or confessions (like Lázaro's father's, or his own
to the squire, or the squire's to him), and instances, both
literal and metaphorical, of suspicion and persecution.

As one might expect from an autobiography that is also
a kind of self-defense, that discloses and conceals at the
same time, Lázaro's story is both highly unified and singu-
larly incomplete. No critic would fail to observe today the
interrelations, parallels and reminiscences with which the
novel abounds: the correspondences between the scene of
the stone bull and the vengeance of the post, between the
priest's and the squire's empty houses, the various objects

that are opened or broken into, certain phrases and motifs of the first chapter that reappear in the last, the prophecy of the wine, etc. Nevertheless some critics still suppose that *Lazarillo* was published in an incomplete form. I have just suggested that there is no reason to expect more. A few remarks on the composition of the novel will make my point clearer.

Lázaro writes, he explains in the Preface, ". . . porque se tenga entera noticia de mi persona." His main purpose consists not in narrating certain events, interesting as such and constituting an autonomous pattern, but in giving an account of himself. To this the choice of events is adapted. All happenings are subordinated to the self-definition of the hero, just as the past is to the present. Lázaro rather than Lazarillo is the center of gravity of the story. Lázaro the narrator and Lazarillo the doer exist on two different temporal levels, until they finally meet in Chapter VII. But the mature Lázaro is, above all, a man who has suffered, grown and learned, who retains the wisdom which Lazarillo the boy extracted from his painful experiences. He could not explain these conclusions without associating himself once more with the duration of his past life. To be Lázaro—a disabused, embittered man—is to have been the poor orphan Lazarillo. We should therefore not be surprised by the concentration, the interrupted sequences and the accelerations that are characteristic of his story. The process of selection to which he submits his past leads not to a complete, evenly flowing biography but to a few salient episodes and conditions, corresponding to the main components of his memory. From the point of view of the present and of Lázaro's consciousness, they exclude nothing of importance. This is a life remembered and interpreted, not reproduced. The form of the novel, then, is the self-projection of the hero backwards into time. This implies a temporal control and a changing rhythm to which I will return later.

As one considers in some detail the story of Lazarillo's growth, one notices also the parallel development of the book's own texture, scope and procedures. This is the kind of novel in which the author's resources and strategy vary from chapter to chapter. (Other examples in Spain are *Don Quixote* and Clarín's *La Regenta*.) What we observe as we read is, rather than changes of mind, a progressive broadening out—the addition in later chapters of wider perspectives into which earlier ones are integrated. I shall limit myself to approaching each of these steps by means of a few instances of technique and meaning.

An inclination, for example, to personify things and objectify human beings is characteristic of Chapters I and II. The crucial role of objects and their relevance to the career of the hero is, of course, a principal feature of the picaresque novel. There are no *relicta circunstantia,* no persons or things unworthy of the author's interest and compassion. But objects are particularly significant here, for there is no lesson more important for Lázaro to learn than the need to protect his own inner self by isolating it from all externals. If this self-command fails, man, in the daily struggle for survival, is in peril of being reduced to the level of animal instincts or even to that of material lifelessness.

As the story begins, we discover that Lázaro's father had been arrested on account of theft: "achacaron a mi padre ciertas sangrías mal hechas en los costales de los que allí a moler venían." This is the first contact between a material object and the claim of a person to use it. It is described metaphorically: the bag of flour is bled like a sick patient. Metaphors are usually reduced comparisons that ascribe to an immaterial subject the immediacy of a concrete event ("to burn with rage", etc.). Here, on the contrary, a human condition is attributed to a thing. The act of stealing becomes a delicate operation, ironically ennobled. Humor is attained through the process which Bergson interpreted, only in reverse: instead of persons being made to seem mechanical, objects are personified.

Lazarillo will imitate his father many times, as in the case of the linen sack: "sangraba el avariento fardel." With a sort of increasing close-up technique, the first chapter will focus on the battle of wits between Lázaro and his master over three main objects—the jug of wine, the grapes and the sausage—though there are others as well, and the second chapter on the combat over the battered old chest. But the metaphorical style covers a great deal more. The traditional concept of a "chain of beings" seems to lead here to a constant juggling and fusion of different levels. Lazarillo's first brutal contact with a perilous world—his decisive fall from innocence—comes in the episode of the stone bull: "diome una gran calabazada en el diablo del toro, que mas de tres días me duró el dolor de la cornada." The inanimate statue is set in motion and granted the intention of the blindman, as if the boy had actually been gored by the horns of a Salamanca bull. Later on, objects will take on not only the defects of human beings—"el avariento fardel"—but their very ambiguity—"el dulce y amargo jarro." And the characters themselves descend a step in the chain of beings and become animal-like. At one point the blindman appears smelling like a hound, "a uso de buen podenco." Finally the vengeance of the stone post, which parallels closely the scene of the bull, presents the blindman as a "toro," as a "cabrón" and as a "calabaza," first as an animal and lastly as a thing. We never find out whether he died, but it seems clear that such a fall into materiality coincides with the imminence of death, as Lázaro himself will discover.

In Chapter II the increasing nearness of death and, in general, the heightening of all previous motifs, corresponds to a widening of the metaphorical compass and of the areas it covers in the chain of beings. Now a heavenly or divine level is brought in. Objects are still personified, particularly the decrepit old chest, "sin fuerza y corazón," the "llagada arca" whose sufferings earn from Lázaro the same understanding as those of an unfortunate human being, hunted or caught in a war. Lázaro himself is confused with a hungry mouse, and at the end with a snake. But the claim of material things is described most boldly through a religious or sacrilegious metaphor: the coveted loaves of bread are adored by the hero like the body of God and occasion his entrance into paradise. A tinker is the angel of God and a snake the sign, as Anson Piper has explained, of Lázaro's expulsion from his "breadly paradise." Let it be noted that the irreverence implicit in these sacramental ironies is essentially a metaphorical procedure, a powerful expression of the hero's concern with external things, and that this would not be possible if a religious frame of reference were meaningless to him. The intercession of God or of the Holy Spirit, actually, alleviates Lázaro's self-centered but undeserved struggle. Christ's name is never spoken; the representatives of the Church are a fraud; but in his loneliness the young boy speaks to God, here and elsewhere, in a language reminiscent sometimes of the Psalms. These metaphors reveal very probably the independent spirit of a *cristiano nuevo,* of Jewish or Moslem descent, as Américo Castro suggests. But they are unquestionaly Christian.

As far as values are concerned, the main coordinates of the novel are made clear to the reader, as they were to Lazarillo himself, especially by the blindman, his example and his teachings. In this sense he is a key figure, who should be studied with some care. Let us recall briefly, first of all, his literary origins.

Lazarillo de Tormes was an original work, a literary beginning, to such a degree that critics have found it more relevant to show how certain sources were tampered with by the author than to stress his reliance on them. Just as the style is both natural and artful, apparently colloquial but actually rich in rhetorical figures (such as the use of the same verb in two different ways), the text abounds in references to both classical literature and folklore. Classical allusions are introduced ironically, for example, at the beginning and at the end of the novel: in the Preface (see my notes to the text) and in the uxorious part played by Lázaro in Chapter VII, which recalls the husband's shameful dependence on his wife's dowry in Latin comedy (the *uxor dotata* in Plautus). The author's interest in folklore manifests itself in the numerous proverbs he quotes and in a number of brief scenes as well, such as the jest of the stone bull, Lazarillo's contests with the blindman over the jug of wine or the bunch of grapes, and the story of "la casa ló-brega y oscura." (On this and other scholarly questions, see Marcel Bataillon's invaluable study, indicated in the Bibliography.)

But appearances are also misleading here. Even when the original materials are folkloric, their handling in *Lazarillo* betrays the training of a learned humanist. Of this the blindman is a perfect instance: though the surface is folk-loric, the substance is classical. In medieval literature the blindman was presented usually as a ridiculous figure, physically helpless, easily deceived by a lie or a change of voice; for example, in the thirteenth-century farce *Le garçon et l'aveugle* or in the *fabliau* called *Les trois aveugles de Compiègne*. This convention is still used during the six-teenth century, as in the *Farce de l'aveugle et de son valet tort* (1512) by François Briard or, in Spain, in Diego Sán-chez de Badajoz, Sebastián de Horozco and Juan de Ti-moneda. It is possible even to meet in these works some of the jests and tricks that reappear in *Lazarillo:* like the ven-geance of the stone post, in Burkard Waldis' *Aesopus* (1548), a collection of fables in German verse. Yet none of these precedents prepares us for the special gifts of Lá-zaro's first master. *Lazarillo* was one of the first works which, during and after the Renaissance (*King Lear,* Mil-ton, Schiller), returned to the classical concept of blindness as spiritual power. In Greek drama the blindness of the hero was a form of expiation and wisdom. As in the myth of Tiresias, this was the infirmity of prophets and seers.

Lázaro's first employer is a selfish, cruel rogue, and the author does not neglect the farcical possibilities of the bat-tle of wits between a young servant and his blind master. But the latter fulfills certain functions that no other rogue could. He provides Lazarillo with the knowledge that his dead father could not teach him; he shapes the boy's inner being after his own, like a second God: "que después de Dios, éste me dio la vida y, siendo ciego, me alumbró y adestró en la carrera de vivir." (Several sentences he utters, besides, are Biblical quotations: see notes 58 and 90 to the text.) And the narrator adds later: "que sin duda debía de tener espíritu de profecía." What happens actually in Chapter I is that a blindman is able to outwit a person who can see. This amounts to teaching Lazarillo that the invisible power of understanding, developed independently by man, is more important than visible appearances. The author makes clear that the blindman's intelligence is a kind of inner light, "la luz del entendimiento," which his disciple slowly learns to acquire. Even at the end of the chapter, when Lazarillo is able to turn his teacher's lessons against him, his triumph is made possible only by a sort of double blindness, a temporary lapse in the older man's interior vision: "porque Dios le cegó aquella hora el entendimiento." The entire chapter is based on the initial word-play on the verb *adestrar*, meaning both "to guide," as a blindman's servant does his master, and "to teach." Ultimately it is Lazarillo, innerly unseeing, who is guided and enlightened by the blindman: "que . . . éste me alumbró y adestró en la carrera de vivir."

Lazarillo soon puts to practice the lessons of "el gran maestro el ciego," such as the ability to dissimulate, to control one's expressions and outer appearance—as the blindman could, for example, when he prayed with "un rostro humilde y devoto que con muy buen continente ponía cuando rezaba, sin hacer gestos ni visajes con boca ni ojos, como otros suelen hacer"; the blindman was able to control even his unseeing eyes. Lazarillo's second employer, in Chapter II, enjoys perfect eyesight: "ninguno hay que tan aguda vista tuviese como él tenía." Even in the middle of Mass he misses nothing: "el un ojo tenía en la gente y el otro en mis manos. Bailábanle los ojos en el casco como si fueran de azogue." Consequently the boy's recently acquired skills are of little use against his new master. He is forced to exercise his tricks while the priest is absent or, especially, at night. He steals away in the middle of the night, for example, to reopen the often mended chest; hence the comparison with Penelope's web: "cuanto él

tejía de día, rompía yo de noche." Lazarillo, who had
conquered the blindman, is defeated disastrously in the
end: at night, while he is sleeping and cannot see, but his
master is groping in the dark. He was failed on that occasion by the inner light which is bestowed sometimes by
God—"me alumbró el Espíritu Santo"—or developed
sometimes through sheer need—"que me era luz la hambre, pues dicen que el ingenio con ella se avisa . . ."

Light, inner vision, the strength to hold off death, and
ingenio are associated in *Lazarillo* as they had been before.
The young hero's *ingenio*—native intelligence or wit—is
the quality which the blindman appreciates the most and
helps him to develop into a relentless lucidity. In the *Ety-
mologies* of St. Isidore of Seville, a medieval Christian classic, we are told that the human eye contains "a hidden
light, that is, a secret one, located in the interior" ("occuli
. . . occultum lumen habeant, id est secretum vel intus
positum") and that, of all the senses, it is nearest to the soul
("hi inter omnes sensus viciniores animae existunt"). A
similar confidence in the eyes as signs of emotion and personality was a common characteristic of Renaissance love
poetry and Neoplatonic thought.

In this context also the author of *Lazarillo* was a path-
breaker rather than a traditionalist. Leo Spitzer has shown
that gestures in the medieval epic revealed emotions—they
were psychophysical. Lionel Friedman has explained further that in the Middle Ages the radical Christian division
of "dual man"—*homo duplex*—into the physical and the
spiritual—*homo exterior* and *homo interior*— was compensated by certain correspondences between the two. Though
the soul's life was regarded as invisible and the heart as hidden—*occulta cordis*—a symbolical connection existed between body and soul, and facial expressions or other gestures
were a sign of this relationship. Thus writers did not pretend to portray inner man independently from external appearances. But Lázaro's first master and teacher knows better; how else could his uncanny ability to dispense with the
visible be so instructive? The unity of "dual man" is shat-

tered in *Lazarillo* as in later novels, with their concentration on what E. M. Forster has called the "secret life" of their characters. The literary hero becomes here a lonely spirit, a dissembler or a hypocrite. Lázaro's autobiographical tale retraces the growth of an isolated *homo interior*. As he had remarked after misjudging his Negro half-brother: "¡cuántos debe de haber en el mundo que huyen de otros porque no se veen a sí mismos!" As he remembers his life Lázaro proves that he has indeed learned to see both himself and others, beyond externals, from within. To really *see*, with what the dramatist Middleton called "intellectual eyesight," into the souls of men.

From a social point of view the alienation of our orphan and "half-outsider" seems obvious enough. But we can now begin to understand how Lázaro's estrangement is also intimate and spiritual, based as it is on the solitude of the *homo interior*, his separation from the rest of himself and from all others. Although this solitude is real it is also intolerable and must be mended in practice. Lázaro must come to terms with a foreign, opaque environment. Hegel once wrote that alienation takes place when such a man becomes self-conscious and feels the necessity to assert himself, to obtain recognition from those with whom he has so little in common. This idea seems to apply to the story of Lázaro, who discovers that only his inwardness belongs to him. The rest is a series of concessions to his fellowmen, a kind of performance in which a part of him acts as if he were another. Lázaro is oppressed by this dependence on others (including "vuestra merced" and the Archpriest of San Salvador) and the questionable unity of his existence, much as he tries to salvage it by telling us about it.

But we should also recall the release of laughter, the fact that Lázaro's entire tale is colored by his fondness for *ingenio*, which both supports and tempers the aggressive lucidity of the characters. The blindman and his pupil share his love of wit. Like Poggio or Erasmus, the Renaissance humanist attached much value to witty sayings, well-rounded phrases, adages or apothegms. In a broader

sense the latter were "dichos graciosos y donosos," according to the Preface of the *Libro de apotegmas* published in
Antwerp in 1549 by Martín Nucio (the printer of *Lazarillo*). In our novel most of the battles between Lazarillo
and his masters, particularly in Chapters I and II, are
crowned in the end with a witty sentence: after the scenes
of the stone bull, the grapes and the sausage, for example.
These battles are also *burlas* or jests, followed usually by
laughter, in which the victim too is likely to join: "Reíme
entre mí y, aunque mochacho, noté mucho la discreta consideración del ciego." At the end of Chapter I Lázaro's revenge must express itself not only in action but in words:
"¿Cómo, y olistes la longaniza y no el poste? ¡Olé!" Likewise, the hero's defeat in Chapter II is accentuated by the
priest's parting witticism. Even the *buldero's* swindle will
affect the hero's sense of humor: "cayóme mucho en gracia
. . ." Such laughter is, of course, an emotional release and a
confirmation of distance. The language of *ingenio* is a form
not of dialogue but of superiority and power over others.

The technical expansion of the novel becomes evident in
the celebrated *Tratado tercero*. Previous dimensions are
retained, such as the personification of things, which leads
slowly to caricature and situations that can no longer be
visualized—like the elongation of the blindman's nose and
the colorless, dying *alfamar*. If pursued a little further, this
style—objects partake in the inadequacy of human beings
—would lead to Quevedo. Generally speaking, however,
the main coordinates of Chapter III augur the complexities
of Cervantes. Earlier in the story the author had painted
around Lazarillo and his masters a few objects only, serving as props, surrounded by emptiness rather than space.
Now the setting is a city. Time orientation in the first two
chapters was toward the present and the hero's urgent con-
frontation with the onrush of life, as with an unpredictable
enemy. Now his third master seems to live mostly in the
past and in the future. Above all, Lázaro and his first two
employers evolved on the same level: material need, *ingenio*, the appraisal of persons and things as they really

are. A second plane is juxtaposed now, that of mental values and ideal loyalties considered as an end. This dual perspective makes possible the ultimate "counter-idealism" of
the novel, to use Spitzer's term. I can only sketch briefly, in
closing, four principal aspects of this developing dimension
of the work.

The first concerns time, which thickens in the third *tratado* even more palpably than space does. The first chapter
had provided us with a scanty chronology, a number of
typical actions based on the imperfect tense of the verb, and
only a few instances of personal, experienced time ("que
más de tres días me duró el dolor de la cornada"), for the
simple reason that the latter could only grow as Lazarillo
himself did. Nevertheless, this personal contact with time
went hand in hand usually with the hero's troubles. The six
months spent in the house of the priest were punctuated
with a greater amount of temporal references ("A cabo de
tres semanas que estuve con él, vine a tanta flaqueza ..."),
all tending to stress the young boy's suffering. In the third
chapter a remarkable *ralenti,* counted hour by hour, blends
closely with Lázaro's hopes and disappointments, his vigils,
his despair and near death. Life is reduced to a minimum
in such a way that there are moments when nothing seems
to happen but this *tempo lento.* Time in Chapter III is not
only a framework but a fundamental experience, allied with
Lázaro's increasing involvement in the world around him.
The disengagement that will take place at the end of the
novel will also coincide with the avoidance of this painful
encounter with the temporality of life lived to the full.

Chapter III highlights, in the second place, the narrator's perspectivism. Lázaro the writer is in control of his
story—nowhere is it so clearly related to his sensibility as
in this chapter—and yet is capable of presenting interpre-
tations other than his own. Later picaresque novels will
usually be saturated with the views of the *pícaro*-narrator.
But in *Lazarillo* the singleness of tone of the autobiographical confession is conciliated with the objective variety of
the third-person narrative. Food, for example, is regarded

by Lazarillo from the viewpoint of its practical use, by the squire in terms of its ancestry and social attributes. An old sword is an emblem of honor and nobility for the squire, but no more than a large carving knife for Lazarillo, etc. On the part of the narrator this is virtuosity. In the case of Lazarillo, who took part in these events, it is a virtue: compassion. His sympathetic behavior is in fact one of the principal occurrences of Chapter III.

What happens actually in this chapter? Not a battle of wits between selfish rivals, as in earlier ones. An initial situation of distance and misunderstanding between two completely different persons is replaced by a process of gradual clarification and mutual comprehension. The understanding that develops in the end is a form of friendship in personal terms; but it exposes also a total incompatibility between the two "levels of values." Lazarillo accepts the squire as an individual but rejects what he stands for (a reversal of his attitude toward the blindman). This is shown with the purest of narrative ironies, as the storyteller understands the squire much before his servant does.

The hero's insight fails him at first and he does not discern that his master's outer display masks his poverty. (The squire hires him in order to support the display and hide the poverty.) Later on he has several chances to observe his master's conduct: when he addresses, for example, the prostitutes by the river in the language of courtly love (as Don Quixote will similar women in an inn). Now Lazarillo feigns likewise and plays a part. This is the apex of dissimulation for both, though Lazarillo begins to realize that the squire's performance is sincere. Self-exiled—from Valladolid first, from Toledo last, from reality always—the squire devotes himself to a fiction in which no one else believes. His life is a constant flight from the failure to obtain what he desires the most: social recognition. Finally, his confession-within-a-confession makes clear to Lazarillo the futility of his master's heroism. The lesson he has learned is crucially negative. Whereas the squire sacrificed personal well-being to honor, Lazarillo will decide to do the opposite. The squire's antiquated view was that social position can only be inherited. Lazarillo will pursue it on his own.

It should be noted, thirdly, that the involvement of the narrator in his story, which is constant, is the main source of its numerous ambiguities. The squire is, of course, a more puzzling figure than I have intimated. Judgments of a character like his are necessarily complex, on the one hand. On the other, Lazarillo must take practical decisions that are unequivocal. The hero's actions cannot reflect fully the understanding of the *homo interior*. The autobiography of an intelligent, compassionate dissembler develops inevitably on several levels. I have observed earlier that this is a life remembered and interpreted by a man whose words hide and reveal at the same time. Thus, Lázaro the narrator contains both the hypocrite of Chapter VII and the profound "seer" into character, even as Lazarillo the boy, particularly in Chapter III, combines a sympathetic heart with the capacity to further decisively his interests. This situation affects, for example, the style of the novel in a number of ways. Adjectives are innumerable, yet it is difficult to ascertain in some cases whether they describe an object as such or the emotions of the narrator: Lázaro's mother is called "la triste," the blindman "el triste ciego," the squire "el triste"; the word indicates that these persons were actually unfortunate, but also that the author sympathizes with their plight and regards them as pitiful. A principal feature of style is the use of substantivated adjectives in expressions such as "el triste de mi padrastro," "el negro de mi padrastro" (where "negro" means both "black" and, metaphorically, "unfortunate," as in "negros remedios," "negra trepa"), "el lastimado de mi amo": here it seems that the narrator attempts by means of the substantivated adjective to lend objective independence to his present feelings. One can observe similarly a curious vacillation between the present and past tenses of the verb, for plastic effect or in relation to the involvement of the author. As this cannot be shown briefly, I will quote a passage from the scene of the stone post where verbal and adjectival shadings make clear Lázaro's remorse as well as Lazarillo's vengeance: "Aun apenas lo había acabado de decir, cuando se abalanza el pobre ciego como cabrón y de toda su fuerza arremete, tomando un paso atrás de la corrida para hacer mayor salto, y da con la cabeza en el poste, que sonó tan recio como si diera con una gran calabaza, y cayó luego para atrás, medio muerto y hendida la cabeza."

These ambiguities have been stressed by critics and require no further explanation. It has also been stated, however, that *Lazarillo* presents a kind of reversal of ethical values, whereby selfishness is regarded as good, etc. But we have seen how different or even contradictory norms clash or mingle or change as soon as they enter individual existences. The business of the novelist being to confront things as they really are, not as they ought to be, he shows the difficulties and compromises that men experience in the daily practice of their lives, or what happens to higher values when they are transferred from an abstract level to the real conditions of a precarious existence like Lazarillo's. Lázaro, as we have seen, never ceases to grasp the superior status of selflessness or pity. He does not simply espouse "evil" in the end, for his judgment does not surrender to such simplifications. His conduct may become corrupted but not his mind. He shows us actually (with few exceptions, like his attitude toward the priest of Maqueda) that any individual moral judgment is necessarily composite or ambiguous.

My fourth topic is the death theme in *Lazarillo*, which culminates also in Chapter III. The urgency of this theme must not be forgotten when one observes later the cynicism which Lázaro embraces as a method for survival. Lazarillo had taken the offensive against the blindman not only for revenge but in self-defense, in order to remain alive: "considerando que . . . el cruel ciego ahorraría de mí, quise yo ahorrar dél." At the end of Chapter II his unconscious spell "en el vientre de la ballena" brings him a step closer to dying. This experience, which lasted three days, as other painful ones in the story, parallels the Biblical text: "For as

Jonah was three days and three nights in the belly of the whale, so shall the Son of Man be three days and three nights in the heart of the earth" (Matt. 12:40). The Biblical allusions that abound in the novel support particularly this theme. The climax of Lázaro's anguish comes in the episode of "la casa lóbrega, triste, obscura." A key word for the entire chapter is "lóbrego," which was associated usually with death and afterlife (see note 222 to the text). The squire's mournful abode recalls not only the priest's but the symbolical dimension of Biblical passages: "It is better to go to the house of mourning than to go to the house of feasting; for that is the end of all men" (Eccl. 7:2), etc. These allusions are linked with the two principal uses of the name "Lazarus" in the Scriptures: the beggar of the parable, who lay suffering at the rich man's gate (Luke 16:19–25), and Lazarus of Bethany, who was brought back to life by Jesus (John 11:1–44). From this point of view *Lazarillo* is based on a combination of these two types— the poverty of the orphan culminating in the cycles of near-death and rebirth. Emile Mâle has studied Lazarus' resurrection as a theme of Renaissance painting. The Bible inspired, besides, several humanistic plays in Latin, particularly in Flanders, such as George Macropedius' *Lazarus mendicus,* often reprinted (Bois-le-Duc, 1541, 1542, 1545, etc.), and J. Sapidus' *Anabion sive Lazarus redivivus* (Strasbourg, 1540). The latter has the peculiarity of handling the two Lazarus figures one after the other, and in this sense is closest to the ironically allusive framework of *Lazarillo.*

After Chapter III the author develops a process of acceleration as steady as the hero's will to bring the end result of his adolescent experiences into practice. He remains eight days with the friar of La Merced, four months with the pardoner, four years with the chaplain. Lazarillo's apprenticeship is over. At the beginning of the novel the author's psychological comments were limited by the fact that his hero was a child. They are now by the fact that he is an adult whose mind has been made up. The example of the

pardoner has simply confirmed, of course, that of his earlier masters: if the blindman was a rogue, the priest a hypocrite, and the squire an actor, the *buldero* is—on a larger
scale—all three things. Lázaro's inner growth has reached
its end and the author can concentrate now on the facts
of his social and economic rise, while carrying him from
adolescence to manhood. The main perspective has become that of a "social novel" in which externals are em-
phasized and the "secret life" of the hero is only hinted at.
The material signs of his progress are stressed in each case:
the first shoes he owns, the money he earns with the chaplain, the clothes and particularly the old sword (reminiscent
of the squire's) he buys, the dowry and other gifts brought
by his dishonorable marriage, etc. Nevertheless, the under-
lying theme of life as suffering and dubious battle—"pasé
también hartas fatigas," "sufrí mil males"—is extended until Lázaro's profitable employment by the chaplain, which
releases him for the first time from material servitude. This,
together with the example of the pardoner, corroborates his
decision to better his status at any cost.

The structure of this dénouement has puzzled the critics.
I have just suggested that temporally we revert to the speed
of the opening. The center of the book is Chapter III, and
the story's form is circular in more than one way: a number
of motifs in Chapter VII (like "determiné de arrimarme
a los buenos") reiterate initial ones, even as Lázaro rejoins
existentially in the end what his parents already knew. In
terms of spatial structure, the two longer *tratados,* V and
VII, balance I and II in the first part of the novel, with the
two other brief chapters serving as transitional paragraphs,
while adding to the sense of time passing. R. S. Willis has
explained, besides, that the author, after his hero has
reached inner maturity, is obliged to achieve two things: to
cover several years quickly, so as to bring Lázaro to actual
manhood; and to disengage him from both his environment and the sympathetic attendance of the reader. Lázaro
finds the practical conditions with which to protect his inner self. In our terms, the reader watches the slow disap-

pearance from sight of the *homo interior,* the withdrawal of the lonely and alienated spirit whom he had learned earlier to understand.

There is another aspect of technique, finally, which supports these observations: the relevance of dialogue and of the *aparte.* Dialogue throughout the novel provides us with the most forceful instances of the exercise of speech for purposes of deceit and dissimulation. The *apartes,* or asides (based on *La Celestina*), are, on the contrary, the only vehicles of sincere speech, the only means by which the *homo interior* can speak honestly to himself. In Chapter III, for example, Lazarillo's asides complement constantly his non-dialogues with the squire, until they finally reach an understanding. In Chapter V the pardoner's fraudulent prayers offer the boldest example of the deceitful use of the spoken word, for he attempts to outwit God. Lázaro's final *aparte* takes place in the same chapter. Now, as the novel closes, there are no more asides. The hero's inner voice is stilled, but not his ability for spoken trickery, which reaches new heights, as far as Lázaro is concerned, in his speech on the last page that begins "Mirá, si sois mi amigo. . . ." These words in turn prepare the Preface. To recall a phrase from the latter: "¿Qué hiciera si fuera verdad?"

TEXTS AND AUTHORSHIP OF LAZARILLO DE TORMES

In 1554 three little books titled *La vida de Lazarillo de Tormes, y de sus fortunas y adversidades* appeared in Alcalá de Henares, Burgos and Antwerp respectively. None of the three is in all certainty the *first* edition. The title page of the Alcalá edition adds "de nuevo añadida en esta segunda impresión," and a notice at the end clarifies that it was ready on the 26th of February of that year. It is difficult to determine whether, in a period of less than eight weeks, any of the other two texts could have been used by the printer in Alcalá. The hypothesis that an earlier edition, now lost, was published in 1553 has been advanced but never proved.

Modern critics concur in rejecting the Alcalá version, which deviates most often from the other two and is marred by no less than six interpolations, evidently spurious. This leaves Burgos and Antwerp. Most editors have followed Burgos, although they have tended in practice, like Cejador in the "Clásicos Castellanos" series, to tamper with it freely. Others have preferred Antwerp. Too many editors have imitated R. Foulché-Delbosc and produced a combination of all three, which is the least defensible procedure.

The present editor has selected the Antwerp text and reproduced it as faithfully as possible, except for changes in spelling and punctuation which are explained at the end of this introduction. Moreover, on eight unavoidable occasions (which are indicated in the notes), obvious errors or misprints have been corrected by referring to Burgos or Alcalá. The Burgos text is more forceful or eloquent at times, while Antwerp is concise, correct and form conscious. These last characteristics are in keeping with the author's general gift for irony through concentration. It must be stressed, however, that none of these versions is in every instance superior to the other. The choice of the Flemish edition is therefore not intended to be exclusive or dogmatic, any more than that of Burgos could pretend to be. The basic fact is that we have two and perhaps three *Lazarillos;* and yet the editor is forced to single one out and then reproduce it as consistently as he can. Fortunately, these differences are almost always slight and of interest only to the specialist and the scholar.

If the wish of the original editor and perhaps the author was to keep *Lazarillo* anonymous, four centuries have not succeeded in disturbing their purpose. Though so much has been said on the subject, it remains an invitation to conjecture and scholarly daydreaming. As of this writing, the two persons whose names were suggested early in the seventeenth century are still the likeliest candidates for the authorship of *Lazarillo*. In 1605 the Hieronymite historian José de Sigüenza stated on hearsay that Fray Juan de Ortega was regarded as the author by members of his order: a rough draft of the work was said to be in his cell when he died. In 1607, on hearsay also, the Belgian bibliographer Valerius Andreas Texandrus, and in 1608, his colleague the Jesuit Andreas Schott, attributed the novel to Diego Hurtado de Mendoza, who would have written it as a young student in Salamanca.

Other names and hypotheses have been advanced: Lope de Rueda, Hernán Núñez, an *erasmista* or a member of the circle of Juan de Valdés, etc. Concerning the latter, no lesser an authority than Marcel Bataillon has been unable to discover in the anticlericalism of the novel positive traces of the kind of belief that was characteristic of the followers of Erasmus. More recently, the candidacy of the Toledan writer Sebastián de Horozco has been supported vigorously by F. Márquez Villanueva, whose best evidence is found in the rather striking similarities of expression that exist between *Lazarillo* and Horozco's *Refranes glosados*. But this claim has several weaknesses: Horozco elaborated proverbs, which were a common patrimony of all Spaniards; in his life he was somewhat of a conformist; his other works are second-rate; and why should his authorship have been such a well-kept secret? Horozco died around 1580, leaving several children and relatives, some of whom became writers, like Sebastián de Covarrubias, and could have spoken up after Horozco's death without facing Inquisitorial fires.

I should add that the attempt to clarify the problem of authorship by determining previously the date when *Lazarillo* was written has been generally fruitless. It is futile to try to ascertain the age of Lazarillo in the story and relate it to some historical allusion in order to find the date of composition, as the chronology of a fictional work is substantially distinct from historical time. As for a particular allusion like the mention of the Cortes of Toledo (see note 409 to the text), it is just as unconvincing to assume that because a detail in the background of the novel refers to 1525 it could not have been written or finished in 1550, in view of the fact that temporal or spatial distance has been, more often than not, one of the conditions of literary creation.

Unquestionably the author of *Lazarillo* must have been an independent, critical spirit, as well as a bold and superior man. And the grounds for his wish to remain anonymous must be explained without excessive vagueness. Another prerequisite which should be remembered in discussing the puzzle of the author, according to Américo Castro, is that he should be a *cristiano nuevo* of non-Christian origin. Certain passages of the novel can be interpreted in this light (see notes 23, 202, 216, 249, 385 to the text), as well as the absence of Christ's name, the numerous references to the Old Testament, the valuation of *ingenio,* etc. But these details by themselves do not make for certainty. The *converso* problem could be alluded to by an outsider and, what is more important, the hand of the New Christian is difficult to identify precisely because his influence on Spanish life and culture was so general and profound. The essential point is the alienation, the ruthless lucidity, the rediscovery of values as if for the first time, that we find in *Lazarillo.* For these motives it seems to me probable that the author was a New Christian or a person of kindred mentality.

There are good reasons for thinking that don Diego Hurtado de Mendoza—humanist, diplomat, poet—could have written *Lazarillo.* His works are talented and varied, ranging from serious history to caustic satire. His was the freedom of the humanist and the powerful nobleman—who could not adapt well to the reign of Philip II and the growing role of *letrados* and other employees of the Crown. After a quarrel in Court he was imprisoned and then exiled to Granada in 1569, where he wrote his *Guerras de Granada,* a work that shows exceptional understanding for the *moriscos.* Many of his works were printed after his death in 1575. Several objections have been raised against his candidacy: the differences, for example, between *Lazarillo* and the views of a nobleman. Yet if some of the works of Quevedo had not been signed or published by the author, who would dare say Quevedo wrote them? It is true that Baltasar de Zúñiga does not mention *Lazarillo* in his biography of Mendoza in 1610; that, because of his considerable popularity, several works were attributed to him which we know today he did not write; and that in his old age a person in his position could have recognized *Lazarillo* as one of his works.

The historian Sigüenza wrote that Fray Juan de Ortega was gifted with a clever, restless mind and was proficient in humane and divine letters. Born around 1495, he studied in Salamanca and entered the Hieronymite monastery in the nearby town of Alba de Tormes. (The association of *Lazarillo* with Salamanca is obvious. And the church of Tejares, where the hero of the novel is born, belonged to the *Jerónimos* of Alba de Tormes.) He was esteemed by the Dukes of Alba, in whose home he may have seen the plays of Juan del Encina, and by Charles V, who appointed him in 1529 the first Bishop of Chiapas, a position he first accepted and later refused. Though very probably a *cristiano nuevo,* he rose quickly in his order to prior and *visitador.* A well-traveled man, he was prior of the San Jerónimo monastery in Seville when he was named, in 1552, General of the entire order. During his three-year term he introduced a number of reforms which antagonized sharply his more conservative coreligionists. At the end of his term he was not only reprimanded but disgraced and exiled to Valencia as a common friar. Before finishing his term, however, he had begun to arrange for the retirement of Charles V in Yuste. The entourage of the Emperor protested and Ortega was brought back to Yuste to fulfill certain functions, though he was surrounded by enemies. Seriously ill, he returned to Alba de Tormes and died in August, 1557. There are also several arguments against Fray Juan de Ortega. An important one is that we know of no other work by him. But Fernando de Rojas wrote only *La Celestina;* and if the author of *Lazarillo,* whose style is unmistakeable, had produced anything else we know, he probably would have been identified long ago. Marcel Bataillon considers it fitting that *Lazarillo* should have been written by a cultured friar noted for his reformist spirit. Others deem it unlikely that the author should be anyone but a layman. This depends naturally on one's reading of the novel; I have indicated earlier that it is, in my opinion, irreverent but not irreligious. Finally, I should add that the reasons for anonymity are very strong in the case of a man who was General of his order on the year *Lazarillo* appeared, was persecuted and banished shortly afterwards, and died, in loneliness and disrepute, only three years after the publication of the novel.

EL ABENCERRAJE

The *Abencerraje* (written between 1550 and 1560), like its contemporary *Lazarillo de Tormes,* marks a clear beginning in the history of literature. In such cases one expects to discover large differences between the innovator, the seminal work, and the later products for which it acted more as an incitement than as a model to be respectfully imitated. This applies particularly to the present subject. A certain element in the *Abencerraje*—an element only, with which we would not dare to confuse today the entire novel and its complex, delicate texture—achieved considerable success in its day and had numberless descendants: the figure of the noble, chivalrous Moor, and the story of his deeds in love and war, set against the splendid but melancholy background of the last years of the Moslem kingdom of Granada. This literary type, for which there existed numerous precedents in the literature of the Spanish Middle Ages, especially in the ballads and chronicles of the fifteenth century, entered prose fiction for the first time in the *Abencerraje* and, a few years later, was developed by Ginés Pérez de Hita in his famous *Guerras civiles de Gra-*

nada (the first part of which, actually called *Historia de los bandos de los Zegríes y Abencerrajes,* appeared in 1595; the second, in 1619).

These two prose narratives made possible the European renown of the sentimental Moor of Granada, through the numerous translations of the *Diana* of Jorge de Montemayor, to which the *Abencerraje* had been added, as well as the adaptations of Pérez de Hita's best-seller. Montemayor's pastoral was turned into French by Nicole Colin in 1578, into English by Bartholomew Young in 1598, and reprinted many times thereafter. In Italy, Francesco Balbi de Correggio wrote in Spanish the *Historia de los amores del valeroso moro Abindarráez y de la hermosa Jarifa* (Milan, 1593), a long epic based on the *Abencerraje* and on the combination of Christian and Moslem characters, as in Ariosto's earlier poem; and during the seventeenth century similar materials were introduced by Celio Malespini into his *Ducente Novelle* (1609). In France, after Pierre Davity's collection *Travaux sans travail* (1599) and the success of Pérez de Hita, the gallant Moor became somewhat of a fad; when Voiture visited Spain in 1602, his fascination with these themes was such that he composed several Spanish ballads in the style of the *romances moriscos* that were included in Pérez de Hita's book. The title of a novel by Madame de Villedieu, *Galanteries grenadines* (1673), suggests most clearly the spirit with which the story of Abindarráez and Jarifa must have been appreciated by the authors of French seventeenth-century novels in the heroic-sentimental manner: such as Mademoiselle de Scudéry in her eight-volume *Almahide* (1660–63) and especially Madame de Lafayette in *Zaïde, histoire espagnole* (1670), an important step in the art of the author of *La Princesse de Clèves* (1678), which marks, of course, a crucial date in the history of the European novel.

The vicissitudes of the genre have been well studied, by M. S. Carrasco de Urgoiti (see Bibliography) and others. In the eighteenth century the vogue of the Spanish Moor was associated with the beginnings of literary exoticism and its use in the *conte philosophique,* to a certain extent as the Incas and other extinct cultures had been. Florian's *Gonzalve de Cordoue ou Grenade reconquise* (1791) was finished during the French Revolution, and its noble knights proved to be in love not only with the usual Oriental beauties but with the notion of liberty. Finally, Chateaubriand's *Les aventures du dernier Abencérage* (1826) obtained considerable popularity and confirmed the credentials of our story, with its combination of natural beauty and fateful decline, passion and death, as a thoroughly Romantic legend. American readers are more familiar with Washington Irving's tales in *The Alhambra* (1832) and other works in the same vein, which contributed to the general good fortune during the nineteenth century of the image of originally Arabic Andalusia as the most alluring and colorful part of Spain.

Florian had prefaced his *Gonzalve de Cordoue* with a "Précis historique sur les Maures," which Chateaubriand used, and we may observe that these tales of love and civil war in Granada blended fiction with elements that were regarded as historical. The Moorish narrative had thus become an early form of the kind of historical novel in which legendary and factual materials, past events and contemporary values, are willingly mingled. But this was not always recognized. The type of the Andalusian Moor had given rise to a myth both in the literary and the historical senses of the term, and it seems clear that his appeal was due largely to the enhancement of an attractive fiction by a dramatic historical background, and vice versa. Did this apply also, we may now ask, to the original *Abencerraje?* How genuine, how relevant was its historicity?

There are a number of details and particularly of characters in the *Abencerraje* which, if viewed separately, are historical. Rodrigo de Narváez was in fact a famous captain who had contributed decisively to the capture of Antequera in 1410 by Prince don Fernando; as a reward he was appointed the governor of that city, which he defended until his death in 1424. The Abencerrajes, of North African origin, were indeed one of the most powerful clans in Arabic Andalusia during the fourteenth and fifteenth centuries, constituting a kind of praetorian guard in Granada. The story of their massacre in 1482 as a result of palace intrigues was told briefly in Christian chronicles of the period. (For this and other details, see the indispensable study by F. López Estrada, indicated in the Bibliography.) On the other hand, Narváez could not possibly have been the governor of Alora, a city that was captured from the Arabs sixty years after his death, in 1484, during the final and successful war against Granada which Ferdinand and Isabella conducted from 1482 to 1492. The unknown author of the *Abencerraje* may have confused, in the opinion of certain critics, the first Rodrigo de Narváez with one of his descendants in Antequera who succeeded him in the governorship, or with some other Christian knight who showed clemency toward a captured Abencerraje, like the celebrated don Alonso de Aguilar. Or, what is more likely and entirely characteristic of the author's attitude, he mingled different periods with considerable freedom and introduced in his story various elements that added a historical flavor and enabled him to use as a background the atmosphere of the "frontier wars" near Granada in the fifteenth century. The principal effect that the author seems to have sought in this fashion was to place a fictional idyll celebrating values similar to those of the romances of chivalry, not in a fabulous land and in a remote period, as was usually the case in such novels, but in a historical and geographical setting marked by conflict and, especially, very familiar to his readers.

Rodrigo de Narváez was already a renowned, legendary captain when the *Abencerraje* was written; his reputation, as we shall see, plays a role in the story itself. The calamitous end of the Abencerrajes was already a legend in the first half of the sixteenth century. Narváez and the Abencerrajes appeared in well-known *romances fronterizos* (ballads dealing with the frontier wars between Christian Spain and the Moslem kingdom of Granada). So did the towns of

Alora and Antequera, both in *romances* and in other popular poems ("Alora, la bien cercada"; "De Antequera partió
el moro," "Suspira por Antequera / el Rey moro de Granada," "Si ganada es Antequera, / ojalá Granada fuera").
In other words, the poetic uses of these historical characters
and events—not as an end of poetry, but rather as a means
—had begun much before the *Abencerraje* was composed.
They had already been transferred, as it were, to the poetic
imagination, and our author was not interpreting these elements directly as much as he was capitalizing on their legendary vitality and poetic appeal.

The *Abencerraje* is based not so much on a transformation of the past, or on a nostalgia for it, as on a poetic and
fictional effort which offered, above all, a powerful contrast
with the historical present. The readers of the *Abencerraje*
around 1560, particularly the dissidents and the *cristianos
nuevos* who were painfully aware of the problem posed by
the presence in Spain of thousands of *moriscos* (descendants of the Moors) and by the suppression through *raison
d'Etat* of all ideological differences, must have been sensi-
tive to the image of tolerance that is presented in the novel.
This vision of tolerance among enemies, of individual understanding despite religious divisions, is expressed most
simply in the words that appear twice in the text: "aunque
las leyes sean diferentes." The *Abencerraje* exemplifies the
capacity of the literary imagination for historical contra-
diction.

Only in the *Abencerraje,* then, was Rodrigo de Narváez
the governor of both Alora and Antequera. Let us begin
our reading of the novel by asking why this is so. I have
just recalled that such cities enjoyed a sort of poetic life in
the *romancero.* They also played in these ballads an affec-
tive, nearly personalized role: such as Granada, wooed like
a beautiful woman by Prince don Juan in the "Romance
de Abenámar," or Alhama in the "Romance de Alhama,"
whose loss the King of Granada regrets bitterly. Rodrigo
de Narváez faces a double responsibility. It is one of the
features of the text to multiply such dualisms, not only

through the constant rhythmic balancing and fondness for symmetries which are characteristic of the author's style, but by means of actual situations. When Narváez leaves Alora in search of warlike feats, the road he takes leads to a bifurcation ("y yendo por su camino adelante, hallaron otro que se dividía en dos") and he is obliged to split his forces into two groups, even as he is used to defending both Alora and Antequera ("que tenía a cargo ambas fuerzas, repartiendo el tiempo en ambas partes y acudiendo siempre a la mayor necesidad"), almost as if they were two persons whom he is pledged to protect. Later, Abindarráez the Moor will find himself divided between the beautiful Jarifa and Narváez himself, an emotional and moral dilemma on which the plot is based. This correspondence between places and persons, between geographical space and the dimensions of love, friendship or desire, underlies the brief ballad that Abindarráez sings:

> Nacido en Granada,
> criado en Cártama,
> enamorado en Coín,
> frontero de Alora.

The division of the kingdom of Granada into Moslem and Christian cities reflects the wandering, restless life of the Abencerraje.

Images of severance, disjunction, disunion are basic and wide-ranging in the story. Human beings, it seems, are in constant peril of separation, spatially and emotionally. This danger threatens not only individuals but entire political or religious communities. One of the aspects of the *Abencerraje* that might have been historically allusive is precisely this experience of history *by* its characters—as conflict and division, which will be superseded ultimately by ethical values of universal, unifying import.

Abindarráez himself is, of course, no mere orphan, individually uprooted. As the last of the Abencerrajes, he is the victim of a kind of total orphanhood, a conclusive break with his entire ancestry, which was destroyed, dishonored or expelled by the King of Granada. One can only wonder about other collective injustices, like the expulsion of the Jews in 1492, of which certain Spanish readers may have been reminded by the fate of the Abencerrajes. Abindarráez, at any rate, feels bound to perpetuate and uphold the values of his noble ancestors. The images of separation that have just been mentioned are countered in the novel by a number of moments expressing a basic yearning for unification, for understanding and reconciliation, by means of sentimental and moral impulses; first of all, by the presentation, both intense and delicate, of the hero's love for Jarifa.

The Abencerraje's exile as a boy in Coín was compensated by the company of motherless Jarifa, in whom he found a sister. The ambiguous theme of brotherhood turned into love, or of the vacillation between the two (a classical theme—Pyramus and Thisbe in Ovid—that is developed in Greek romances and in related medieval forms, like the medieval cycle of Floire and Blancheflor, leading to Boccaccio's *Filocolo*), assumes a crucial function in our story. In their childhood Abindarráez and Jarifa were inseparable companions: "nunca me acuerdo haber pasado hora que no estuviésemos juntos. Juntos nos criaron, juntos andábamos, juntos comíamos y bebíamos." Only childhood could permit such extreme togetherness. Adult life, in contrast, will mean necessarily the imminence of separation or the need to fight against it. Childish love represents not only an unconscious Platonic love but the promise of a too perfect union for later years of maturity.

Abindarráez and Jarifa will pass from brotherhood to love in the most natural way, without stratagems, intermediaries or methods of seduction, that is to say, without the trappings of sixteenth-century sentimental novels or of the Spanish imitations of *La Celestina*. Yet the day comes for the most painful of all breaks, the transformation of brotherly love into a "rabiosa enfermedad," implying both distance and the possibility of sexual desire. This fall from innocence takes place in a garden—an Andalusian paradise fragrant with jasmine—and culminates in the admirably evocative and concise scene of the fountain.

The scene has Platonic and mystical overtones but is neither of the two. Abindarráez dares to express to Jarifa his mixed brotherly feelings, while he averts his eyes and sees her image in the waters of the fountain, as well as—he adds —an even truer one in his soul: "de suerte que dondequiera que volvía la cabeza, hallaba su imagen, y en mis entrañas la más verdadera." The multiplication of Jarifa's image expresses not only the effects of love but the wish to avoid any separation on the part of the lovers, who are so totally united spiritually. But the Abencerraje's desires are not unphysical, as a classical reminiscence makes clear: "¡Oh, quién fuera Troco"—exclaims Abindarráez—"para parecer ante esta hermosa diosa!" The name "Troco" was a Spanish substitute for "Hermaphrodite," and the entire scene is based on an allusion to Ovid (*Metamorphoses,* IV, 285–388). In Ovid a son of Hermes and Aphrodite refuses the advances of Salmacis, the nymph of a pool, and upon her wish their bodies become a single being, called Hermaphrodite. There are other details in the classical legend that reappear in the scene of the fountain. Basically—this is the most powerful image of unification in the novel—Abindarráez hopes to prevent any "apartamiento" by means of the fusion of his body with Jarifa's. A few lines later another classical myth, the story of Narcissus, joins that of Hermaphrodite, just as the latter had been prepared by the theme of brotherly love. Abindarráez asks himself what would happen if, unlike Narcissus, who fell in love with his own appearance, he could become one with Jarifa's reflection in the fountain: "¡Si yo me anegase ahora en esta fuente donde veo a mi señora, cuánto más desculpado moriría yo que Narciso!"

But circumstances—or, rather, the will of Fortune—separate the lovers. The generous assistance of Rodrigo de Narváez, however, will make possible both their happiness and the parallel growth of a lasting friendship. In the proc-

ess certain moral values will emerge, enriching the texture
of the story. Some observations on the origins and generic
features of the novel will help to clarify this point.

In the *Abencerraje* the most varied traditions and literary conventions of the Renaissance meet. I have already
singled out mythological allusions, a typical theme of the
Greek romance, echoes from poetic folklore; one can
recognize also certain verbal devices from the rhetoric of
contemporary love poetry ("the prison of love", etc.), a
brief tale from the Italian *novella* (the loves of Narváez,
reminiscent of Masuccio Salernitano and Ser Giovanni Fio-
rentino), etc. I have also mentioned that the so-called
Moorish novel continues to express the values of the romances of chivalry—courage, beauty, loyalty, honor, generosity, justice—at a time when the popularity of these
improbable and interminable narratives was beginning to
wane.

There is still another factor which becomes visible at the
very start of Antonio de Villegas' version of the *Abencerraje:* "Este es un vivo retrato de virtud, liberalidad, esfuerzo,
gentileza y lealtad, compuesto de Rodrigo de Narváez y el
Abencerraje, y Jarifa, su padre y el Rey de Granada; del
cual, aunque los dos formaron y dibujaron todo el cuerpo,
los demás no dejaron de ilustrar la tabla y dar algunos
rasguños en ella." We have been told that the author is
about to offer us a double portrait, not of Narváez or of
the Abencerraje separately but of the two together and at
the same time—a collective sketch to which Jarifa, her father and the King of Granada will add a few touches of
their own. This brings to mind the "collective biographies"
of the fifteenth century: anthologies of heroism intended to
celebrate the deeds of great men. Their authors—Gutierre
Díez de Games, Diego de Valera, Fernán Pérez de Guzmán,
Fernando del Pulgar—emulated a Plutarch, a Suetonius or
a Valerius Maximus insofar as they stressed the *ethos* of
admirable men and adapted their selection of historical
facts to this purpose. As for the classical appreciation of

fame, it was a fundamental motive in the lives of these exemplary heroes.

The fame-seeking heroism of these medieval knights,
however, projected itself toward the future, so as to be imitated in later times by others. The immediate effect of the
real person seemed less important than the perpetuation of
knightly norms. But in the *Abencerraje,* as in other sixteenth-century Spanish narratives which we tend to regard
today as forerunners of *Don Quixote,* something markedly
different occurs: the goals of exemplary behavior are not
to be found outside the work—for example, the future
reader, or the hero's descendants—but in the story itself.
Those who learn from the perfect knight or rival with him
are such persons in the novel as Abindarráez, Jarifa, her
father and the King of Granada. The perfect knight is, of
course, Rodrigo de Narváez.

The prestige of Narváez follows him everywhere and
lifts up the spirits of all those who fight with him or against
him. There grows and develops a friendship between him
and Abindarráez, based on mutual admiration and *caballer-
osidad.* Consequently the Moor (who, to all extents and
purposes, acts like a Christian dressed as a Moor) feels
obliged not only to deserve Jarifa's love but, as a true Abencerraje, to be worthy of his friendship with Narváez. Hence
a series of conflicts, as well as of self-perfecting and en-
nobling actions: Abindarráez—more youthful and impulsive
than the mature Narváez—learns to control his own wishes
and to teach Jarifa, by word and example, to master her
own. Thus a kind of chain reaction takes place, leading to
the final competition, in the ability for self-sacrifice and
knightly generosity, between the various characters in the
story, including Jarifa's father and the King of Granada
(who, as the introductory paragraph promised, add a few
"rasguños" to the picture). But in the final analysis, none
succeeds in outdoing Rodrigo de Narváez (who had learned
earlier, when he was a younger man, to curb his own will
and conciliate loyalty with love, as the final tale of his
frustrated affair with a married woman makes clear),

though they all have been guided and lifted up by his example.

In each case it has not been a question of imitating, which aimless people do, but of being "inspired" by the example of a superior man to really act as one would wish to act, to improve not ideals but behavior. In this manner the inspired person goes on to occupy a place in an exemplary process, in what Honoré d'Urfé, in his *Epistres morales* (1603), called "une chaîne continuée" of "grandeur." Such exemplary behavior, which in Renaissance thought had strong Neoplatonic and Neostoic support, implies two corollaries: that all men embody the same higher values and are *united* by them; and that they thereby achieve a great deal more than the fulfillment of their personal goals —they participate, by surpassing themselves, in a universal ethical attitude. The love of Abindarráez for Jarifa in this sense has a different scope than the knightly virtues he shares with Narváez, for human beings are united by love as individuals only and by superior conduct with values greater than themselves. It is true that just as virtuous men bring others closer to the supreme Good, in Neoplatonic terms the love of a beautiful person leads to infinite Beauty. But in the *Abencerraje* the exemplary process that is dominated by Narváez seems to stress the former course rather than the latter.

These higher norms of behavior, at any rate, are to be found in man himself, in his conscience and in his capacity for self-perfection. This form of Renaissance humanism does not doubt necessarily the teachings of the Church but regards them as "distant," as it were, and calls for their approximation or application to individual experience: no moral force is more persuasive than the example of a single, extraordinary human being. Does this recall, paradoxically enough, *Lazarillo de Tormes,* unpicaresque though the values upheld in the *Abencerraje* may be? An important difference between the two novels, in this regard, is that the *Abencerraje* offers no alternative to those values, of which the characters hope to be worthy, whereas every norm in

Lazarillo needs to be tried in practice or rediscovered. Abindarráez acts like an Abencerraje because it is his destiny, as the last of his lineage, to do so, even though historical and collective conditions may bar his way, while Lazarillo is forced by his isolated situation to find out for himself what his father or his mother might have known already, and the reader considers it an irony that he should turn out to resemble them so much, to be in a filial way as much a rogue as Abindarráez is an Abencerraje. There is a basic difference in the very attitude toward the notion of belief, norm or value. In *Lazarillo* these become ambiguous, tactical, defensive as they are transformed into procedures for living, "avisos para vivir," as the blindman calls them. Stylistically, adjectives in *Lazarillo* are often used in pairs, with equivocal or contradictory effect, and in a manner that seems both objective and subjective on the part of the narrator; in the *Abencerraje* what is most characteristic is their absence—the lack of qualification and equivocation. Yet certain similarities remain. The heroes of both stories are orphans who affirm their will and shape their lives against the opposition of Fortune. In both cases the author underlines the process through which individual existences come to terms with moral values.

Both works appear to have been steps, though different ones, on the road leading to the modern novel. As far as Spanish literature is concerned, as I suggested earlier, the obvious and perhaps more superficial influence of the *Abencerraje* was its contribution to the fashion of the sentimental Moor as a literary type, particularly in the *romancero nuevo* (artistic ballads composed and signed by known writers) during the last third of the sixteenth century. This fashion, in which the younger Lope de Vega was active, made possible in turn the *Guerras civiles de Granada* by Pérez de Hita and Lope's own play, *El remedio en la desdicha*. Nothing could resemble less the "double portrait" we have just observed and the function performed in it by Rodrigo de Narváez. On the other hand, one can well imagine the more profound effect the *Abencerraje* may have

had on Cervantes, who probably found in it the qualities
but not the flaws of the romances of chivalry: an example
of knightly heroism, in other words, that did not call for
parody, since the story itself showed that Rodrigo de Narváez could inspire and lead the sanest of men. We should
not forget that at the end of his first sally, of his first imi-
tation of Amadís, Don Quixote, badly beaten and defeated,
found much consolation in the tale of the Moor Abindarráez and the governor of both Alora and Antequera.

TEXTS AND AUTHORSHIP OF EL ABENCERRAJE

The anonymous *Abencerraje* has come down to us in four
different printed versions, of which only the last three are
dated. Though the first two are clearly older and related to
each other, critics do not agree on their chronological order. The four texts are: (1) *Parte de la Corónica del ínclito
infante don Fernando*—the first words on the title page of
a little book in Gothic type printed and written probably
between 1550 and 1561. This book includes a long dedication by an anonymous "corrector" to his master don Jerónimo Ximénez de Embún, a nobleman and *cristiano
nuevo* from Aragón, and may have been published in Zaragoza. It exists today in only one copy, of which the last
third is missing. Artistically it is a clumsy adaptation of in-
ferior quality. (2) A very similar text printed in Toledo in
1661 by Miguel de Ferrer. The first page of the only extant
copy is missing, but the rest is complete. It includes the
dedication to Ximénez de Embún by his servant. It provides us with a slightly more satisfactory form of the *Corónica*. (3) A text that was added to an edition of the celebrated *Diana* of Jorge de Montemayor, in Valladolid, 1561,
probably by the printer Francisco Fernández de Córdoba.
Montemayor had died in Italy a few months earlier. This
is the version which was most widely read, as it was reprinted many times together with the *Diana*. It elaborates a

great deal on earlier texts, particularly when the subject is love, in keeping with the rhetoric of Montemayor's pastoral. (4) The text included in the *Inventario* by Antonio de Villegas, published in 1565 in Medina del Campo by Francisco del Canto. An enlarged edition of the book appeared in 1577, in the same city, with no substantial changes in *El Abencerraje* (though its title became the one which obtained the most acceptance later, *El Abencerraje y la hermosa Jarifa*).

As texts 1 and 2 are similar, we really have three types. Each of these differs considerably from the other two. The editor of the *Diana*, for example, added a love poem in seven stanzas; Antonio de Villegas, the tale of the affair between Narváez and a married woman. The modern editor must therefore make a choice. Fortunately it is not a difficult one. In almost everyone's opinion one of the three versions is indubitably superior to the others. The elegance, the concision, the poetic unity that we admire so much in the *Abencerraje* are to be found only in Villegas' *Inventario*.

The question of authorship is very far from being solved. Villegas doubtless retouched the version which we find in his book, this being sufficient proof of his stylistic competence. In recent years F. López Estrada and M. Bataillon have been inclined to think that Villegas, furthermore, was the original author. This is an attractive hypothesis, inasmuch as Villegas was a fine poet in his own right, though a gloomy one. But the *Inventario* is a miscellany of poetry and prose, as the title suggests, and there is not enough internal evidence to prove beyond doubt that a single hand was responsible for the entire collection. In fact, certain passages in the Villegas *Abencerraje* can be clarified or improved by comparison with the other texts. The same applies to the other two. Thus a second possibility has been mentioned, that of a lost text, or series of texts, on which our three extant types would have been based. This idea is badly in need of proof but does not contradict any of the facts we know. Thirdly, it has been suggested that Villegas himself was the author of the lost original manuscript; when the *Corónica* and the *Diana* appeared in 1561, he would have decided to recast and improve his own text for publication—an ingenious idea, but the most hypothetical of all. Besides, it does not account for the few cases in which the *Inventario* version is not so clear as the others (see note 101 to the *Abencerraje*).

This volume, then, reproduces the 1554 Antwerp text of *Lazarillo de Tormes* and the 1565 *Abencerraje* of Antonio de Villegas. It is intended for the English-speaking reader and student of Spanish literature. An exact rendering of the originals, with all their orthographic peculiarities and inconsistencies, would not have served this purpose. I have therefore modernized the spelling, punctuation and division into paragraphs. But morphological changes, affecting substantially the form of words, have been shunned whenever possible. I have retained, for example, such spellings as *agora* (for *ahora*), *priesa* (for *prisa*), *subjecto* (for *sujeto*), *nascer* (for *nacer*), antiquated verbal endings (*teníades* for *teníais*), infinitives in *-lle* (*tomalle* for *tomarle*), verbal metatheses (*fialde* for *fiadle*), common composites (*dél* for *de él, deste* for *de este*), etc. These and other problems posed by the texts, I hopefully think, have not been avoided in the notes.

—CLAUDIO GUILLEN

La Vida de Lazarillo de Tormes.

Y DE SUS FORTUNAS Y ADVERSIDADES

PROLOGO

Yo por bien tengo que cosas tan señaladas, y por ventura nunca oídas ni vistas,[1] vengan a noticia de muchos y no se entierren en la sepultura del olvido. Pues podría ser que alguno que las lea, halle algo que le agrade, y a los que no ahondaren tanto, los deleite.

Y a este propósito dice Plinio que no hay libro, por malo que sea, que no tenga alguna cosa buena.[2] Mayormente que los gustos no son todos unos; mas lo que uno no come, otro se pierde por ello.[3] Y así vemos cosas tenidas en poco de algunos, que de otros no lo son. Y esto, para que ninguna cosa se debría[4] romper ni echar a mal, si muy detestable no fuese, sino que a todos se comunicase, mayormente siendo sin perjuicio y pudiendo sacar della algún fruto.

Porque si así no fuese, muy pocos escribirían para uno solo, pues no se hace sin trabajo.[5] Y quieren, ya que lo pasan,[6] ser recompensados no con dineros, mas con que vean y lean sus obras, y, si hay de qué, se las alaben. Y a este propósito dice Tulio: "la honra cría las artes".[7]

¿Quién piensa quel[8] soldado que es primero del escala tiene más aborrecido el vivir? No, por cierto. Mas el deseo de alabanza le hace ponerse al peligro. Y así en las artes y letras es lo mismo. Predica muy bien el presentado,[9] y es hombre que desea mucho el provecho de las ánimas. Mas pregunten a su merced si le pesa cuando le dicen: "¡Oh qué maravillosamente lo ha hecho vuestra reverencia!" Justó muy ruinmente el señor don Fulano, y dio el sayete de armas[10] al truhán porque lo loaba de haber llevado muy buenas lanzas. ¿Qué hiciera si fuera verdad?

Y todo va desta manera. Que, confesando yo no ser más santo que mis vecinos, desta nonada [11] que en este grosero estilo escribo no me pesara que hayan parte y se huelguen con ello todos los que en ella algún gusto hallaren, y vean que vive un hombre con tantas fortunas, peligros y adversidades. [12]

Suplico a vuestra merced reciba [13] el pobre servicio de mano de quien lo hiciera más rico, si su poder y deseo se conformaran. Y pues vuestra merced escribe se le escriba y relate el caso[14] muy por extenso, parecióme no tomalle por el medio, [15] sino del principio, porque se tenga entera noticia de mi persona; y también porque consideren los que heredaron nobles estados cuán poco se les debe, pues fortuna fue con ellos parcial, y cuánto más hicieron los que, siéndoles contraria, con fuerza y maña remando salieron a buen puerto.

TRATADO PRIMERO

Cuenta Lázaro su vida, y cúyo hijo fue[16]

Pues sepa vuestra merced ante todas cosas que a mí llaman Lázaro de Tormes,[17] hijo de Tomé González y de Antoña Pérez, naturales de Tejares,[18] aldea de Salamanca. Mi nacimiento fue dentro del río Tormes, por la cual causa tomé el sobrenombre, y fue desta manera. Mi padre, que Dios perdone, tenía cargo de proveer una molienda de una aceña[19] que está ribera de aquel río. En la cual fue molinero más de quince años. Y estando mi madre una noche en la aceña preñada de mí, tomóle el parto y parióme allí. De manera que con verdad me puedo decir nacido en el río.

Pues siendo yo niño de ocho años, achacaron a mi padre ciertas sangrías[20] mal hechas en los costales de los que allí a moler venían. Por lo cual fue preso y confesó, y no negó,[21] y padeció persecución por justicia.[22] Espero en Dios que está en la gloria, pues el Evangelio los llama bienaventurados. En este tiempo se hizo cierta armada contra moros, entre los cuales fue mi padre,[23] que a la sazón estaba desterrado por el desastre ya dicho, con cargo de acemilero de un caballero que allá fue. Y con su señor, como leal criado, feneció su vida.

Mi viuda madre, como sin marido y sin abrigo se viese, determinó arrimarse a los buenos por ser uno dellos,[24] y vínose a vivir a la ciudad, y alquiló una casilla, y metíase a guisar de comer a ciertos estudiantes, y lavaba la ropa a ciertos mozos de caballos del Comendador de la Magdalena.[25] De manera que fue frecuentando las caballerizas. Ella y un hombre moreno,[26] de aquellos que las bestias curaban,[27] vinieron en conocimiento. Este algunas veces se venía a nuestra casa, y se iba a la mañana. Otras veces de día llegaba a la puerta, en achaque de comprar huevos, y entrábase en casa.

Yo, al principio de su entrada, pesábame con él [28] y habíale miedo, viendo el color y mal gesto que tenía. Mas de que [29] vi que con su venida mejoraba el comer, fuile queriendo bien, porque siempre traía pan, pedazos de carne, y en el invierno leños a que nos calentábamos.

De manera que continuando la posada y conversación,[30] mi madre vino a darme un negrito muy bonito, el cual yo brincaba [31] y ayudaba a calentar. Y acuérdome que estando el negro de mi padrastro trebejando [32] con el mozuelo, como el niño vía [33] a mi madre y a mí blancos, y a él no, huía dél con miedo para mi madre y, señalando con el dedo, decía: "¡Madre, coco!" [34] ¡Respondió él riendo: "Hideputa!" [35] Yo, aunque bien mochacho, noté aquella palabra de mi hermanico y dije entre mí: "¡Cuántos debe de haber en el mundo que huyen de otros, porque no se veen a sí mismos!" [36]

Quiso nuestra fortuna que la conversación del Zaide,[37] que así se llamaba, llegó a oídos del mayordomo y, hecha pesquisa, hallóse que la mitad por medio de la cebada que para las bestias le daban, hurtaba; y salvados, leña, almohazas, mandiles, y las mantas y sábanas de los caballos, hacía perdidas.[38] Y cuando otra cosa no tenía, las bestias desherraba, y con todo esto acudía [39] a mi madre para criar a mi hermanico. No nos maravillemos de un clérigo, ni de un fraile, porque el uno hurta de los pobres y el otro de casa para sus devotas y para ayuda de otro tanto,[40] cuando a un pobre esclavo el amor le animaba a esto. Y probósele[41] cuanto digo, y aún más; porque a mí con amenazas me preguntaban, y como niño respondía, y descubría cuanto sabía con miedo, hasta ciertas herraduras que por mandado de mi madre a un herrero vendí.

Al triste de mi padrastro azotaron y pringaron,[42] y a mi madre pusieron pena por justicia, sobre el acostumbrado centenario,[43] que en casa del sobredicho Comendador no entrase, ni al lastimado Zaide en la suya acogiese. Por no echar la soga tras el caldero,[44] la triste se esforzó [45] y cumplió la sentencia. Y por evitar peligro y quitarse de malas lenguas, se fue a servir a los que al presente vivían en el mesón de la Solana.[46] Y allí, padeciendo mil importunidades, se acabó de criar mi hermanico, hasta que supo andar, y a mí hasta ser buen mozuelo, que iba a los huéspedes por vino y candelas, y por lo demás que me mandaban.

En este tiempo vino a posar al mesón un ciego, el cual, pareciéndole que yo sería para adestralle[47], me pidió a mi madre, y ella me encomendó a él, diciéndole cómo era hijo de un buen hombre, el cual por ensalzar la fe había muerto en la de los Gelves,[48] y que ella confiaba en Dios no saldría peor hombre que mi padre, y que le rogaba me tratase bien y mirase por mí, pues era huérfano. El respondió que así lo haría, y que me recibía no por mozo, sino por hijo. Y así le comencé a servir y adestrar a mi nuevo y viejo amo.

Como [49] estuvimos en Salamanca algunos días, pareciéndole a mi amo que no era la ganancia a su contento, determinó irse de allí. Y cuando nos hubimos de partir, yo fui a ver a mi madre y, ambos llorando, me dio su bendición y dijo:

—Hijo, ya sé que no te veré más. Procura de ser bueno, y Dios te guíe. Criado te he y con buen amo te he puesto. ¡Válete por ti! [50]

Y así me fui para mi amo, que esperándome estaba.

Salimos de Salamanca y, llegando a la puente, está a la entrada della un animal de piedra que casi tiene forma de toro, y el ciego mandóme que llegase cerca del animal; y allí puesto, me dijo:

—Lázaro, llega [51] el oído a este toro, y oirás gran ruido dentro dél.

Yo simplemente llegué, creyendo ser así. Y como sintió que tenía la cabeza par de [52] la piedra, afirmó recio la mano y diome una gran calabazada en el diablo del toro, que más de tres días me duró [53] el dolor de la cornada, y díjome:

—Necio, aprende que el mozo del ciego un punto ha de saber más que el diablo.

Y rió mucho la burla. Parecióme que en aquel instante disperté[54] de la simpleza en que como niño dormido estaba. Dije entre mí: "Verdad dice éste, que me cumple avivar el ojo y avisar,[55] pues solo soy, y pensar cómo me sepa valer.

Comenzamos nuestro camino, y en muy pocos días me mostró jerigonza.[56] Y, como me viese de buen ingenio,[57] holgábase mucho y decía:

—Yo oro ni plata no te lo puedo dar, mas avisos para vivir muchos te mostraré.[58]

Y fue así; que después de Dios éste me dio la vida y, siendo ciego,[59] me alumbró y adestró en la carrera de vivir.

Huelgo de contar a vuestra merced estas niñerías,[60] para mostrar cuánta virtud sea saber los hombres subir siendo bajos, y dejarse bajar siendo altos, cuánto vicio.

Pues tornando al bueno de mi ciego[61] y contando sus cosas, vuestra merced sepa que desde que Dios crió el mundo, ninguno formó más astuto ni sagaz. En su oficio era un águila. Ciento y tantas oraciones sabía de coro; un tono bajo, reposado y muy sonable, que hacía resonar la iglesia donde rezaba; un rostro humilde y devoto, que con muy buen continente ponía cuando rezaba, sin hacer gestos ni visajes con boca ni ojos, como otros suelen hacer. Allende[62] desto, tenía otras mil formas y maneras para sacar el dinero. Decía saber oraciones para muchos y diversos efectos: para mujeres que no parían, para las que estaban de parto, para las que eran mal casadas, que sus maridos las quisiesen bien. Echaba pronósticos a las preñadas, si traían hijo o hija. Pues en caso de medicina, decía Galeno[63] no supo la mitad que él, para muelas, desmayos, males de madre. Finalmente, nadie le decía padecer alguna pasión,[64] que luego no le decía:

—Haced esto, haréis estotro, cosed[65] tal yerba, tomad tal raíz.

Con esto andábase todo el mundo tras él, especialmente mujeres, que cuanto les decía creían. Destas sacaba él grandes provechos con las artes que digo, y ganaba más en un mes que cien ciegos en un año.

Mas también quiero que sepa vuestra merced que, con[66] todo lo que adquiría y tenía, jamás tan avariento ni mezquino hombre no vi,[67] tanto que me mataba a mí de hambre, y así no me remediaba de lo necesario. Digo verdad: si con mi sotileza[68] y buenas mañas no me supiera remediar, muchas veces me finara[69] de hambre. Mas con todo su saber y aviso, le contaminaba[70] de tal suerte que siempre, o las más veces, me cabía lo más y mejor. Para esto el hacía burlas endiabladas, de las cuales contaré algunas, aunque no todas a mi salvo.[71]

El traía el pan y todas las otras cosas en un fardel de lienzo que por la boca se cerraba con una argolla de hierro y su candado y llave; y al meter de las cosas y sacarlas, era con tanta vigilancia y tan por contadero que no bastara todo el mundo hacerle menos[72] una migaja. Mas yo tomaba aquella laceria[73] que él me daba, la cual en menos de dos bocados era despachada. Después que cerraba el candado y se descuidaba, pensando que yo estaba entendiendo en[74] otras cosas, por un poco de costura que muchas veces del un lado del fardel descosía y tornaba a coser, sangraba el avariento fardel, sacando no por tasa pan, mas buenos pedazos, torreznos y longaniza.[75] Y así buscaba conveniente tiempo para rehacer, no la chaza, sino la endiablada falta que el mal ciego me faltaba.[76]

Todo lo que podía sisar y hurtar traía en medias blancas. Y cuando le mandaban rezar y le daban blancas, como él carecía de vista, no había el que se la daba amagado con ella, cuando yo la tenía lanzada en la boca, y la media aparejada;[77] que por presto que él echaba la mano, ya iba de mi cambio anichilada[78] en la mitad del justo precio. Quejábaseme el mal ciego, porque al tiento luego conocía y sentía que no era blanca entera, y decía:

—¿Qué diablo es esto, que después que conmigo estás no me dan sino medias blancas, y de antes[79] una blanca y un maravedí hartas veces me pagaban? En ti debe estar esta desdicha.

También él abreviaba el rezar, y la mitad de la oración

no acababa, porque me tenía mandado que, en yéndose el que la mandaba rezar, le tirase por cabo del capuz. [80] Yo así lo hacía. Luego él tornaba a dar voces, diciendo: "¿Mandan rezar tal y tal oración?", como suelen decir.

Usaba poner cabe sí [81] un jarrillo de vino cuando comíamos. Yo muy de presto le había y daba un par de besos [82] callados y tornábale a su lugar. Mas duróme poco, que en los tragos conocía la falta y, por reservar su vino a salvo, nunca después desamparaba el jarro, antes lo tenía por el asa asido. Mas no había piedra imán que así trajese a sí como yo con una paja larga de centeno que para aquel menester tenía hecha, la cual, metiéndola en la boca del jarro, chupando el vino lo dejaba a buenas noches. [83] Mas como fuese el traidor tan astuto, pienso que me sintió. Y dende en adelante [84] mudó propósito, y asentaba su jarro entre las piernas, y atapábale con la mano, y así bebía seguro. Yo, como estaba hecho al vino, moría por él. Y viendo que aquel remedio de la paja no me aprovechaba ni valía, acordé en el suelo del jarro hacerle una fuentecilla y agujero sutil, y delicadamente con una muy delgada tortilla de cera taparlo. Y al tiempo de comer, fingiendo haber frío, entrábame entre las piernas del triste ciego a calentarme en la pobrecilla lumbre que teníamos, y al calor della luego derretida la cera, por ser muy poca, comenzaba la fuentecilla a destilarme en la boca, la cual yo de tal manera ponía que maldita la gota se perdía. Cuando el pobreto [85] iba a beber, no hallaba nada; espantábase, maldecíase, daba al diablo el jarro y el vino, no sabiendo qué podía ser.

—No diréis, tío, que os lo bebo yo,—decía—pues no le quitáis de la mano.

Tantas vueltas y tientos dio al jarro que halló la fuente y cayó en la burla. Mas así lo disimuló como si no lo hubiera sentido.

Y luego otro día, teniendo yo rezumando mi jarro como solía, no pensando el daño que me estaba aparejado, ni que el mal ciego me sentía, sentéme como solía, estando recibiendo aquellos dulces tragos, mi cara puesta hacia el cielo, un poco cerrados los ojos por mejor gustar el sabroso licor; sintió el desesperado ciego que agora [86] tenía tiempo de tomar de mí venganza y, con toda su fuerza alzando con dos manos aquel dulce y amargo jarro, le dejó caer sobre mi boca, ayudándose, como digo, con todo su poder, de manera que el pobre Lázaro, que de nada desto se guardaba, antes,[87] como otras veces, estaba descuidado[88] y gozoso, verdaderamente me pareció que el cielo, con todo lo que en él hay, me había caído encima. Fue tal el golpecillo, que me desatinó[89] y sacó de sentido, y el jarrazo tan grande que los pedazos dél se me metieron por la cara, rompiéndomela por muchas partes, y me quebró los dientes, sin los cuales hasta hoy día me quedé.

Desde aquella hora quise mal al mal ciego y, aunque me quería y regalaba y me curaba, bien vi que se había holgado del cruel castigo. Lavóme con vino las roturas que con los pedazos del jarro me había hecho, y sonriéndose decía:

—¿Qué te parece, Lázaro? Lo que te enfermó te sana y da salud.[90]

Y otros donaires que a mi gusto no lo eran.

Ya que estuve medio bueno de mi negra trepa[91] y cardenales, considerando que a pocos golpes tales el cruel ciego ahorraría de mí, quise yo ahorrar dél.[92] Mas no lo hice tan presto por hacello más a mi salvo y provecho. Aunque yo quisiera asentar mi corazón y perdonalle el jarrazo, no daba lugar el mal tratamiento que el mal ciego desde allí adelante me hacía, que sin causa ni razón me hería, dándome coscorrones y repelándome.[93] Y si alguno le decía por qué me trataba tan mal, luego contaba el cuento del jarro, diciendo:

—¿Pensáis que este mi mozo es algún inocente? Pues oíd si el demonio ensayara otra tal hazaña.

Santiguándose los que le oían, decían:

—¡Mirá[94] quién pensara de un mochacho tan pequeño tal ruindad!

Y reían mucho el artificio, y decíanle:

—Castigaldo, castigaldo, que de Dios lo habréis.[95]

Y él con aquello nunca otra cosa hacía.

Y en esto yo siempre le llevaba por los peores caminos; y adrede, por le hacer mal y daño, si había piedras, por ellas; si lodo, por lo más alto. Que, aunque yo no iba por lo más enjuto, holgábame a mí de quebrar un ojo por quebrar dos

al que ninguno tenía. Con esto siempre con el cabo alto del
tiento[96] me atentaba[97] el colodrillo, el cual siempre traía
lleno de tolondrones y pelado de sus manos. Y aunque yo
juraba no lo hacer con malicia, sino por no hallar mejor
camino, no me aprovechaba, ni me creía más; tal era el
sentido y el grandísimo entendimiento del traidor.

Y porque vea vuestra merced a cuánto se extendía el ingenio deste astuto ciego, contaré un caso de muchos que
con él me acaecieron, en el cual me parece dio bien a entender su gran astucia.

Cuando salimos de Salamanca, su motivo fue venir a
tierra de Toledo, porque decía ser la genta más rica, aunque
no muy limosnera. Arrimábase a este refrán: más da el duro
que el desnudo.[98] Y venimos a este camino por los mejores
lugares. Donde hallaba buena acogida y ganancia, detenía-
monos; donde no, a tercero día hacíamos Sant Juan.[99]

Acaeció que llegando a un lugar que llaman Almorox,[100]
al tiempo que cogían las uvas, un vendimiador le dio un
racimo dellas en limosna. Y como suelen ir los cestos mal-
tratados, y también porque la uva en aquel tiempo está
muy madura, desgranábasele el racimo en la mano. Para
echarlo en el fardel tornábase mosto, y lo que a él se llegaba.[101] Acordó de hacer un banquete, así por no lo poder
llevar como por contentarme, que aquel día me había dado
muchos rodillazos y golpes. Sentámonos en un valladar, y
dijo:

—Agora quiero yo usar contigo de una liberalidad, y es
que ambos comamos este racimo de uvas, y que hayas dél
tanta parte como yo. Partillo hemos[102] desta manera: tú
picarás una vez, y yo otra, con tal que me prometas no tomar cada vez más de una uva; yo haré lo mismo hasta que
lo acabemos, y desta suerte no habrá engaño.

Hecho así el concierto, comenzamos. Mas luego, al segundo lance, el traidor mudó propósito y comenzó a tomar
de dos en dos, considerando que yo debría hacer lo mismo.
Como vi que él quebraba la postura,[103] no me contenté ir
a la par con él, mas aun pasaba adelante, dos a dos, y tres a
tres, y como podía las comía. Acabado el racimo, estuvo un

poco con el escobajo en la mano, y, meneando la cabeza, dijo:

—Lázaro, engañado me has. Juraré yo a Dios que has tú comido las uvas tres a tres.

—No comí—dije yo;—mas ¿por qué sospecháis eso? Respondio el sagacísimo ciego:

—¿Sabes en que veo que las comiste tres a tres? En que comía yo dos a dos, y callabas.

Reíme entre mí y, aunque mochacho, noté mucho la discreta consideración del ciego.

Mas por no ser prolijo, dejo de contar muchas cosas, así graciosas como de notar, que con este mi primer amo me acaecieron, y quiero decir el despidiente [104] y con él acabar.

Estábamos en Escalona, villa del duque della,[105] en un mesón,[106] y diome un pedazo de longaniza que le asase. Ya que la longaniza había pringado y comídose las pringadas,[107] sacó un maravedí de la bolsa y mandó que fuese por él de vino a la taberna. Púsome el demonio el aparejo delante los ojos, el cual, como suelen decir, hace al ladrón, y fue que había cabe el fuego un nabo pequeño, larguillo y ruinoso, y tal que por no ser para la olla debió ser echado allí. Y como al presente nadie estuviese sino él y yo solos, como me vi con apetito goloso, habiéndome puesto dentro el sabroso olor de la longaniza, del cual solamente sabía que había de gozar, no mirando qué me podría suceder, pospuesto todo el temor por cumplir con el deseo, en tanto que el ciego sacaba de la bolsa el dinero, saqué la longaniza, y muy presto metí el sobredicho nabo en el asador; el cual mi amo, dándome el dinero para el vino, tomó, y comenzó a dar vueltas al fuego, queriendo asar el que de ser cocido por sus deméritos había escapado. Yo fui por el vino, con el cual no tardé en despachar la longaniza. Y cuando vine, hallé al pecador del ciego [108] que tenía entre dos rebanadas apretado el nabo, al cual aún no había conocido por no haber tentado con la mano. Como tomase las rebanadas y mordiese en ellas, pensando también llevar parte de la longaniza, hallóse en frío con el frío nabo, alteróse y dijo:

—¿Qué es esto, Lazarillo?

—¡Lacerado de mí! [109] —dije yo—¿Si queréis a mí echar algo?[110] ¿Yo no vengo de traer el vino? Alguno estaba ahí, y por burlar haría esto.

—No, no—dijo él—, que yo no he dejado el asador de la mano; no es posible.

Yo torné a jurar y perjurar que estaba libre de aquel trueco y cambio, mas poco me aprovechó; pues a las astucias del maldito ciego nada se le ascondía.[111] Levantóse y asióme por la cabeza y llegóse a olerme. Y como debió sentir el huelgo,[112] a uso de buen podenco, por mejor satisfacerse de la verdad, y con la gran agonía [113] que llevaba, asiéndome con las manos, abrióme la boca más de su derecho, y desatentadamente, metía la nariz, la cual él tenía luenga y afilada; y aquella sazón con el enojo se había aumentado un palmo, con el pico de la cual me llegó a la gulilla. [114] Con esto y con el gran miedo que tenía, y con la brevedad del tiempo, la negra longaniza aún no había hecho asiento en el estómago, y, lo más principal, con el destiento [115] de la cumplidísima nariz, medio casi ahogándome, todas estas cosas se juntaron y fueron causa que el hecho y golosina se manifestase y lo suyo fuese vuelto a su dueño. De manera que antes que el mal ciego sacase de mi boca su trompa, tal alteración sintió mi estómago que le dio con el hurto en ella, de suerte que su nariz y la negra, mal mascada longaniza a un tiempo salieron de mi boca.

¡Oh gran Dios! ¡quién estuviera aquella hora sepultado! que muerto ya lo estaba. Fue tal el coraje del perverso ciego que si al ruido no acudieran, pienso no me dejara con la vida. Sacáronme dentre sus manos, dejándoselas llenas de aquellos pocos cabellos que tenía, arañada la cara y rascuñado [116] el pescuezo y la garganta. Y esto bien lo merecía,[117] pues por su maldad me venían tantas persecuciones. Contaba el mal ciego a todos cuantos allí se allegaban mis desastres, y dábales cuenta una y otra vez, así de la del jarro como de la del racimo, y agora de lo presente. Era la risa de todos tan grande que toda la gente que por la calle pasaba, entraba a ver la fiesta. Mas con tanta gracia y donaire contaba el ciego mis hazañas que, aunque yo estaba tan maltratado y llorando, me parecía que hacía sinjusticia [118] en no se las reir.

Y en cuanto esto pasaba, a la memoria me vino una cobardía y flojedad que hice, por que [119] me maldecía. Y fue no dejarle sin narices, pues tan buen tiempo tuve para ello que la mitad del camino estaba andado; que con sólo apretar los dientes se me quedaran en casa, y, con ser de aquel malvado, [120] por ventura lo retuviera mejor mi estómago que retuvo la longaniza y, no pareciendo ellas, pudiera negar la demanda.[121] Pluguiera a Dios que lo hubiera hecho, que eso fuera así que así.[122]

Hiciéronnos amigos la mesonera y los que allí estaban y, con el vino que para beber le había traído, laváronme la cara y la garganta.[123] Sobre lo cual discantaba [124] el mal ciego donaires, diciendo:

—Por verdad, más vino me gasta este mozo en lavatorios al cabo del año que yo bebo en dos. A lo menos, Lázaro, eres en más cargo al vino que a tu padre, porque él una vez te engendró, mas el vino mil te ha dado la vida.

Y luego contaba cuántas veces me había descalabrado y arpado la cara, y con vino luego sanaba.

—Yo te digo—dijo—que si hombre en el mundo ha de ser bienaventurado con vino, que serás tú.

Y reían mucho los que me lavaban con esto, aunque yo renegaba.[125]

Mas el pronóstico del ciego no salió mentiroso, y después acá muchas veces me acuerdo de aquel hombre, que sin duda debía tener espíritu de profecía, y me pesa de los sinsabores que le hice; aunque bien se lo pagué, considerando lo que aquel día me dijo salirme tan verdadero como adelante vuestra merced oirá.

Visto esto y las malas burlas que el ciego burlaba de mí, determiné de todo en todo dejalle; y como lo traía pensado y lo tenía en voluntad, con este postrer juego que me hizo, afirmélo más.

Y fue así, que luego otro día salimos por la villa a pedir limosna, y había llovido mucho la noche antes. Y porque el día también llovía, y andaba rezando debajo de unos portales que en aquel pueblo había, donde no nos mojamos,

mas como la noche se venía y el llover no cesaba, díjome
el ciego:

—Lázaro, esta agua es muy porfiada, y cuanto la noche
más cierra, más recia. Acojámonos a la posada con tiempo.
Para ir allá habíamos de pasar un arroyo que, con la
mucha agua, iba grande. Yo le dije:

—Tío, el arroyo va muy ancho; mas si queréis, yo veo
por donde travesemos mas aína [126] sin nos mojar, porque
se estrecha allí mucho, y saltando pasaremos a pie enjuto.

Parecióle buen consejo, y dijo:

—Discreto eres, por esto te quiero bien. Llévame a ese
lugar donde el arroyo se ensangosta,[127] que agora es invierno y sabe mal el agua, y más llevar los pies mojados.
Yo que vi el aparejo a mi deseo, saquéle debajo los portales
y llevélo derecho de un pilar o poste de piedra que en la
plaza estaba, sobre el cual, y sobre otros, cargaban saledizos
de aquellas casas, y díjele:

—Tío, este es el paso más angosto que en el arroyo hay.
Como llovía recio y el triste se mojaba, y con la priesa [128]
que llevábamos de salir del agua que encima nos caía, y lo
más principal, porque Dios le cegó aquella hora el entendimiento, fue por darme dél venganza, creyóse de mí y dijo:

—Ponme bien derecho, y salta tú el arroyo.
Yo le puse bien derecho en frente del pilar, y doy un salto
y póngome detrás del poste, como quien espera tope de
toro, y díjele:

—¡Sus! saltá todo lo que podáis, porque deis deste cabo
del agua.

Aun apenas lo había acabado de decir, cuando se abalanza
el pobre ciego como cabrón y de toda su fuerza arremete,
tomando un paso atrás de la corrida para hacer mayor salto,
y da con la cabeza en el poste, que sonó tan recio como si
diera con una gran calabaza, y cayó luego para atrás, medio
muerto y hendida la cabeza.

—¿Cómo, y olistes la longaniza y no el poste? ¡Olé! [129]—
le dije yo.

Y déjole en poder de mucha gente que lo había ido a
socorrer, y tomo la puerta de la villa en los pies de un
trote y, antes que la noche viniese, di conmigo en Torrijos.
No supe más lo que Dios dél hizo, ni curé [130] de lo saber.

TRATADO SEGUNDO

Cómo Lázaro se asentó con un clérigo, y de las cosas que con él pasó

Otro día,[131] no pareciéndome estar allí seguro, fuime a un lugar que llaman Maqueda, adonde me toparon mis pecados con un clérigo que, llegando[132] a pedir limosna, me preguntó si sabía ayudar a misa. Yo dije que sí, como era verdad, que aunque maltratado, mil cosas buenas me mostró el pecador del ciego, y una dellas fue ésta. Finalmente el clérigo me recibió por suyo.

Escapé del trueno y di en el relámpago,[133] porque era el ciego para con éste un Alejandro Magno, con ser la misma avaricia, como he contado. No digo más, sino que toda la laceria del mundo estaba encerrada en éste. No sé si de su cosecha era, o lo había anejado con el hábito de clerecía.

El tenía un arcaz viejo y cerrado con su llave, la cual traía atada con un agujeta del paletoque.[134] Y en viniendo el bodigo[135] de la iglesia, por su mano era luego allí lanzado, y tornada a cerrar el arca. Y en toda la casa no había ninguna cosa de comer, como suele estar en otras algún tocino[136] colgado al humero, algún queso puesto en alguna tabla, o en el armario, algún canastillo con algunos pedazos de pan que de la mesa sobran; que me parece a mí que, aunque dello no me aprovechara, con la vista dello me consolara.

Solamente había una horca de cebollas, y tras la llave, en una cámara en lo alto de la casa. Destas tenía yo de ración una para cada cuatro días. Y cuando le pedía la llave para ir por ella, si alguno estaba presente, echaba mano al falsopeto[137] y, con gran continencia, la desataba y me la daba, diciendo:

—Toma, y vuélvela luego, y no hagáis[138] sino golosinar. Como si debajo della estuvieran todas las conservas de

Valencia,[139] con no haber en la dicha cámara, como dije, maldita la otra cosa que las cebollas colgadas de un clavo; las cuales él tenía tan bien por cuenta [140] que, si por malos de mis pecados me desmandara a más de mi tasa, me costara caro.

Finalmente, yo me finaba de hambre, pues ya que conmigo tenía poca caridad, consigo usaba más. Cinco blancas de carne era su ordinario para comer y cenar. Verdad es que partía conmigo del caldo. Que de la carne, ¡tan blanco el ojo!,[141] sino un poco de pan, y ¡pluguiera a Dios que me demediara! [142]

Los sábados cómense en esta tierra cabezas de carnero,[143] y enviábame por una que costaba tres maravedís. Aquélla le cocía, y comía los ojos y la lengua y el cogote y sesos, y la carne que en las quijadas tenía, y dábame todos los huesos roídos. Y dábamelos en el plato, diciendo:

—Toma, come, triunfa, que para ti es el mundo. Mejor vida tienes que el papa.

"Tal te la dé Dios", decía yo paso [144] entre mí.

A cabo de tres semanas que estuve con él, vine a tanta flaqueza que no me podía tener en las piernas de pura hambre. Vime claramente ir a la sepultura, si Dios y mi saber no me remediaran. Para usar de mis mañas no tenía aparejo, por no tener en que dalle salto.[145] Y aunque algo hubiera, no pudiera cegalle, como hacía al que Dios perdone, si de aquella calabazada feneció. Que todavía, aunque astuto, con faltalle aquel preciado sentido, no me sentía. Mas estotro, ninguno hay que tan aguda vista tuviese como él tenía.

Cuando al ofertorio [146] estábamos, ninguna blanca en la concha caía que no era dél registrada. El un ojo tenía en la gente y el otro en mis manos. Bailábanle los ojos en el casco como si fueran de azogue. Cuantas blancas ofrecían, tenía por cuenta. Y acabado el ofrecer, luego me quitaba la concheta [147] y la ponía sobre el altar.

No era yo señor de asirle una blanca todo el tiempo que con él viví o, por mejor decir, morí. De la taberna nunca le traje una blanca de vino. Mas aquel poco que de la

ofrenda había metido en su arcaz, compasaba[148] de tal
forma que le duraba toda la semana. Y por ocultar su
gran mezquindad, decíame:

—Mira, mozo, los sacerdotes han de ser muy tem-
plados en su comer y beber, y por esto yo no me des-
mando como otros.

Mas el lacerado mentía falsamente, porque en confradías[149] y mortuorios[150] que rezamos, a costa ajena comía
como lobo y bebía más que un saludador.[151]

Y porque dije[152] mortuorios, Dios me perdone que jamás
fui enemigo de la naturaleza humana sino entonces; y esto
era porque comíamos bien y me hartaban. Deseaba y aun
rogaba a Dios que cada día matase el suyo. Y cuando dá-
bamos sacramento a los enfermos, especialmente la ex-
trema unción, como manda el clérigo rezar a los que están
allí, yo cierto no era el postrero de la oración, y con todo
mi corazón y buena voluntad rogaba al Señor, no que le
echase a la parte que más servido fuese,[153] como se suele
decir, mas que le llevase deste mundo.

Y cuando alguno destos escapaba, ¡Dios me lo perdone!,
que mil veces le daba al diablo. Y el que se moría, otras
tantas bendiciones llevaba de mí dichas. Porque en todo
el tiempo que allí estuve, que serían cuasi[154] seis meses,
solas veinte personas fallecieron, y éstas bien creo que
las maté yo o, por mejor decir, murieron a mi requesta;
porque viendo el Señor mi rabiosa y continua muerte,
pienso que holgaba de matarlos por darme a mí vida. Mas
de lo que al presente padecía, remedio no hallaba. Que si el
día que enterrábamos, yo vivía, los días que no había
muerto, por quedar bien vezado[155] de la hartura, tornando
a mi cuotidiana hambre, más lo sentía. De manera que en
nada hallaba descanso, salvo en la muerte, que yo también
para mí, como para los otros, deseaba algunas veces. Mas
no la vía,[156] aunque estaba siempre en mí.

Pensé muchas veces irme de aquel mezquino amo; mas
por dos cosas lo dejaba. La primera, por no me atrever a
mis piernas, por temer de la flaqueza que de pura hambre
me venía. Y la otra, consideraba y decía: "Yo he tenido

dos amos: el primero traíame muerto de hambre, y deján-
dole topé con estotro que me tiene ya con ella en la sepultura. Pues si deste desisto y doy en otro más bajo, ¿qué será
sino fenecer?" Con esto no me osaba menear; porque tenía
por fe que todos los grados había de hallar más ruines. Y a
abajar [157] otro punto, no sonara Lázaro ni se oyera en el
mundo.

Pues estando en tal aflicción, cual plega al Señor librar
della a todo fiel cristiano, y sin saber darme consejo, viéndome ir de mal en peor, un día quel cuitado, ruin y lacerado de mi amo había ido fuera del lugar, llegóse acaso a
mi puerta un calderero, el cual yo creo que fue ángel en-
viado a mí por la mano de Dios en aquel hábito. Pregun-
tóme si tenía algo que adobar. "En mí teníades bien que
hacer, y no haríades poco si me remediásedes", [158] dije paso,
que no me oyó. Mas como no era tiempo de gastarlo en
decir gracias, alumbrado por el Espíritu Santo, le dije:

—Tío, una llave deste arcaz [159] he perdido, y temo mi
señor me azote. Por vuestra vida, veáis si en esas que traéis
hay alguna [160] que le haga, que yo os lo pagaré.

Comenzó a probar el angélico calderero una y otra de un
gran sartal que dellas traía, y yo ayudalle [161] con mis flacas
oraciones. Cuando no me cato, [162] veo en figura de panes,
como dicen, la cara de Dios [163] dentro del arcaz. Y abierto,
díjele:

—Yo no tengo dineros que os dar por la llave, mas tomad
de ahí el pago.

El tomó un bodigo de aquéllos, el que mejor le pareció, y
dándome mi llave se fue muy contento, dejándome más a
mí.

Mas no toqué en nada por el presente, porque no fuese
la falta sentida, y aun porque me vi de tanto bien señor,
parecióme que la hambre no se me osaba llegar. Vino el
mísero de mi amo, y quiso Dios no miró en la oblada que el
ángel había llevado.

Y otro día, en saliendo de casa, abro mi paraíso panal, [164]
y tomo entre las manos y dientes un bodigo, y en dos credos [165] le hice invisible, no se me olvidando el arca abierta.

Y comienzo a barrer la casa con mucha alegría, pareciéndome con aquel remedio remediar dende en adelante la triste vida. Y así estuve con ello aquel día, y otro, gozoso. Mas no estaba en mi dicha que me durase mucho aquel descanso, porque luego al tercero día me vino la terciana derecha.[166]

Y fue que veo a deshora al que me mataba de hambre sobre nuestro arcaz, volviendo y revolviendo, contando y tornando a contar los panes. Yo disimulaba, y en mi secreta oración y devociones y plegarias, decía: "¡Sant Juan, y ciégale!"[167] Después que estuvo un gran rato echando la cuenta, por días y dedos contando, dijo:

—Si no tuviera a tan buen recaudo esta arca, yo dijera que me habían tomado della panes. Pero de hoy más, sólo por cerrar puerta a la sospecha, quiero tener buena cuenta con ellos. Nueve quedan y un pedazo.

"Nuevas malas te dé Dios",[168] dije yo entre mí. Parecióme con lo que dijo pasarme el corazón con saeta de montero, y comenzóme el estómago a escarbar de hambre, viéndose puesto en la dieta pasada.

Fue fuera de casa. Yo, por consolarme, abro el arca y como vi el pan, comencélo de adorar, no osando recebillo.[169] Contélos, si a dicha el lacerado se errara, y hallé su cuenta más verdadera que yo quisiera. Lo más que yo pude hacer fue dar en ellos mil besos; y, lo más delicado que yo pude, del partido partí un poco al pelo que él estaba,[170] y con aquél pasé aquel día, no tan alegre como el pasado.

Mas como la hambre creciese, mayormente que tenía el estómago hecho a más pan, aquellos dos a tres días ya dichos, moría mala muerte; tanto que otra cosa no hacía, en viéndome solo, sino abrir y cerrar el arca y contemplar en aquella cara de Dios, que así dicen los niños. Mas el mismo Dios, que socorre a los afligidos, viéndome en tal estrecho, trujo[171] a mi memoria un pequeño remedio: que, considerando entre mí, dije: "Este arquetón es viejo y grande y roto por algunas partes, aunque[172] pequeños agujeros. Puédese pensar que ratones entrando en él hacen daño a este pan.

Sacarlo entero no es cosa conveniente, porque verá la falta el que en tanta me hace vivir. Esto bien se sufre."

Y comienzo a desmigajar el pan sobre unos no muy costosos manteles que allí estaban, y tomo uno, y dejo otro, de manera que en cada cual de tres o cuatro desmigajé su poco. Después, como quien toma gragea, lo comí, y algo me consolé. Mas él, como viniese a comer y abriese el arca, vio el mal pesar, y sin duda creyó ser ratones los que el daño habían hecho, porque estaba muy al proprio [173] contrahecho de como ellos lo suelen hacer. Miró todo el arcaz de un cabo a otro, y vióle ciertos agujeros por do [174] sospechaba habían entrado. Llamóme, diciendo:

—¡Lázaro! ¡mira! ¡mira qué persecución ha venido aquesta noche por nuestro pan!

Yo híceme muy maravillado, preguntándole qué sería.

—¡Qué ha de ser!—dijo él.—Ratones, que no dejan cosa a vida.

Pusímonos a comer, y quiso Dios que aun en esto me fue bien; que me cupo más pan que la laceria que me solía dar, porque rayó con un cuchillo todo lo que pensó ser ratonado,[175] diciendo:

—Cómete esto, que el ratón cosa limpia es.

Y así aquel día, añadiendo la ración del trabajo de mis manos, o de mis uñas, por mejor decir, acabamos de comer, aunque yo nunca empezaba.

Y luego me vino otro sobresalto, que fue verle andar solícito, quitando clavos de paredes y buscando tablillas, con las cuales clavó y cerró todos los agujeros de la vieja arca. "¡Oh Señor mío!—dije yo entonces—¡A cuánta miseria y fortuna [176] y desastres estamos puestos los nacidos, y cuán poco duran [177] los placeres desta nuestra trabajosa vida! Heme aquí que pensaba con este pobre y triste remedio remediar y pasar mi laceria, y estaba ya cuanto que alegre [178] y de buena ventura. Mas no quiso mi desdicha, despertando a este lacerado de mi amo, y poniéndole más diligencia de la que él de suyo se tenía (pues los míseros por la mayor parte nunca de aquella carecen), agora cerrando los agujeros [179] del arca, cerrase la puerta a mi consuelo y

la abriese a mis trabajos." Así lamentaba yo, en tanto que
mi solícito carpintero con muchos clavos y tablillas dio fin
a sus obras, diciendo:

—Agora, donos [180] traidores ratones, conviéneos mudar
propósito, que en esta casa mala medra tenéis.

De que salió de su casa, voy a ver la obra y hallé que no
dejó en la triste y vieja arca agujero, ni aun por donde le
pudiese entrar un mosquito. Abro con mi desaprovechada
llave, sin esperanza de sacar provecho, y vi los dos o tres
panes comenzados, los que mi amo creyó ser ratonados, y
dellos todavía saqué alguna laceria, tocándolos muy
ligeramente, a uso de esgremidor [181] diestro.

Como la necesidad sea tan gran maestra, viéndome con
tanta siempre, noche y día estaba pensando la manera que
ternía [182] en sustentar el vivir. Y pienso, para hallar estos
negros remedios, que me era luz la hambre, pues dicen que
el ingenio con ella se avisa, y al contrario con la hartura; y
así era por cierto en mí.

Pues estando una noche desvelado en este pensamiento,
pensando cómo me podría valer y aprovecharme del arcaz,
sintí [183] que mi amo dormía, porque lo mostraba con roncar
y en unos resoplidos grandes que daba cuando estaba durmiendo. Levantéme·muy quedito [184] y, habiendo en el día
pensado lo que había de hacer, y dejado un cuchillo viejo,
que por allí andaba, en parte do le hallase, voyme al triste
arcaz y, por do había mirado tener menos defensa, le
acometí con el cuchillo, que a manera de barreno dél usé.
Y como la antiquísima arca, por ser de tantos años, la hallase sin fuerza y corazón, antes muy blanda y carcomida,
luego se me rindió y consintió en su costado, por mi remedio, un buen agujero. Esto hecho, abro muy paso la llagada
arca y, al tiento, del pan que hallé partido hice según de
yuso [185] está escrito. Y con aquello algún tanto consolado,
tornando a cerrar, me volví a mis pajas, en las cuales re-
posé y dormí un poco.

Lo cual yo hacía mal, y echábalo al no comer. [186] Y así
sería, porque cierto en aquel tiempo no me debían de quitar
el sueño los cuidados del rey de Francia. [187]

Otro día fue por el señor mi amo visto el daño, así del pan como del agujero que yo había hecho, y comenzó a dar al diablo los ratones y decir:

—¿Qué diremos a esto? ¡Nunca haber sentido ratones en esta casa sino agora!

Y sin duda debía de decir verdad; porque si casa había de haber en el reino justamente dellos previlegiada,[188] aquélla de razón había de ser, porque no suelen morar donde no hay que comer.

Torna a buscar clavos por la casa y por las paredes, y tablillas a atapárselos.[189] Venida la noche y su reposo, luego yo era puesto en pie con mi aparejo,[190] y cuantos él tapaba de día, destapaba yo de noche. En tal manera fue y tal priesa nos dimos que sin duda por esto se debió decir: donde una puerta se cierra, otra se abre. Finalmente, parecíamos tener a destajo la tela de Penélope,[191] pues cuanto él tejía de día, rompía yo de noche. Y en pocos días y noches pusimos la pobre dispensa [192] de tal forma que quien quisiera propiamente della hablar, más corazas viejas de otro tiempo que no [193] arcaz la llamara, según la clavazón y tachuelas sobre sí [194] tenía.

De que vio no le aprovechar nada su remedio, dijo:

—Este arcaz está tan maltratado, y es de madera tan vieja y flaca, que no habrá ratón a quien se defienda. Y va ya tal que si andamos más con él, nos dejará sin guarda. Y aun lo peor que, aunque hace poca,[195] todavía hará falta faltando,[196] y me pondrá en costa de tres o cuatro reales. El mejor remedio que hallo, pues el de hasta aquí no aprovecha, armaré por de dentro [197] a estos ratones malditos.

Luego buscó prestada una ratonera y, con cortezas de queso que a los vecinos pedía, contino [198] el gato estaba armado dentro del arca. Lo cual era para mí singular auxilio; porque, puesto caso [199] que yo no había menester muchas salsas para comer, todavía me holgaba con las cortezas del queso que de la ratonera sacaba, y sin esto no perdonaba el ratonar del bodigo.

Como hallase el pan ratonado y el queso comido, y no cayese el ratón que lo comía, dábase al diablo, preguntaba a los vecinos ¿qué podría ser, comer el queso y sacarlo de la ratonera y no caer ni quedar dentro el ratón, y hallar caída la trampilla del gato?[200] Acordaron los vecinos no ser el ratón el que este daño hacía, porque no fuera menos de haber caído alguna vez. Díjole un vecino:

—En vuestra casa yo me acuerdo que solía andar una culebra, y ésta debe de ser sin duda. Y lleva razón que, como es larga, tiene lugar de tomar el cebo y, aunque la coja la trampilla encima, como no entre toda dentro, tórnase a salir.

Cuadró a todos lo que aquél dijo, y alteró mucho a mi amo, y dende en adelante no dormía tan a sueño suelto. Que cualquier gusano de la madera que de noche sonase, pensaba ser la culebra que le roía el arca. Luego era puesto en pie y, con un garrote que a la cabecera, desde que aquello le dijeron, ponía, daba en la pecadora del arca grandes garrotazos, pensando espantar la culebra. A los vecinos despertaba con el estruendo que hacía, y a mí no dejaba dormir. Ibase a mis pajas y trastornábalas y a mí con ellas, pensando que se iba para mí y se envolvía en mis pajas o en mi sayo. Porque le decían que de noche acaecía a estos animales, buscando calor, irse a las cunas donde están criaturas, y aún mordellas y hacerles peligrar.

Yo las más veces hacía del dormido, y en la mañana decíame él:

—Esta noche, mozo, ¿no sentiste nada? Pues tras la culebra anduve, y aun pienso se ha de ir para ti a la cama, que son muy frías y buscan calor.

—Plega a Dios que no me muerda—decía yo—, que harto miedo le tengo.

Desta manera andaba tan elevado y levantado[201] del sueño que, mi fe, la culebra, o el culebro,[202] por mejor decir, no osaba roer de noche, ni levantarse al arca. Mas de día, mientra[203] estaba en la iglesia o por el lugar, hacía mis saltos.[204] Los cuales daños viendo él, y el poco remedio que les podía poner, andaba de noche, como digo, hecho trasgo.

Yo hube miedo que con aquellas diligencias no me topase[205] con la llave que debajo de las pajas tenía, y pare-

cióme lo más seguro metella de noche en la boca. Porque
ya desde que viví con el ciego, la tenía tan hecha bolsa que
me acaeció tener en ella doce o quince maravedís, todo en
medias blancas, sin que me estorbase el comer; porque de
otra manera no era señor de una blanca que el maldito
ciego no cayese con ella,[206] no dejando costura ni remiendo
que no me buscaba muy a menudo. Pues así como digo,
metía cada noche la llave en la boca y dormía sin recelo
que el brujo de mi amo cayese con ella.

Mas cuando la desdicha ha de venir, por demás es diligencia.[207] Quisieron mis hados, o, por mejor decir, mis
pecados, que una noche que estaba durmiendo, la llave se
me puso en la boca, que abierta debía tener, de tal manera
y postura que el aire y resoplo, que yo durmiendo echaba,
salía por lo hueco de la llave, que de cañuto[208] era, y sil-
baba, según mi desastre quiso, muy recio, de tal manera
que el sobresaltado de mi amo lo oyó y creyó sin duda ser el
silbo de la culebra, y cierto lo debía parecer.

Levántose muy paso con su garrote en la mano, y al
tiento y sonido de la culebra se llegó a mí con mucha
quietud, por no ser sentido de la culebra. Y como cerca se
vio, pensó que allí en las pajas, do yo estaba echado, al
calor mío se había venido. Levantando bien el palo, pensando tenerla debajo, y darle tal garrotazo que la matase,
con toda su fuerza me descarga en la cabeza tan gran golpe
que sin ningún sentido y muy mal descalabrado me dejó.

Como sintió que me había dado, según yo debía hacer
gran sentimiento[209] con el fiero golpe, contaba él que se
había llegado a mí y, dándome grandes voces, llamándome,
procuró recordarme.[210] Mas, como me tocase con las manos,
tentó la mucha sangre que se me iba y conoció el daño que
me había hecho. Y con mucha priesa fue a buscar lumbre.
Y llegando con ella, hallóme quejando, todavía con mi
llave en la boca, que nunca la desamparé, la mitad fuera,
bien de aquella manera que debía estar al tiempo que sil-
baba con ella.

Espantado el matador de culebras qué podría ser aquella
llave, miróla, sacándomela del todo de la boca, y vio lo que

era, porque en las guardas nada de la suya diferenciaba. Fue luego a proballa, y con ella probó el maleficio.[211] Debió de decir el cruel cazador: "el ratón y culebra que me daban guerra y me comían mi hacienda, he hallado."

De lo que sucedió en aquellos tres días siguientes ninguna fe daré, porque los tuve en el vientre de la ballena.[212] Mas, de como esto que he contado, oí, después que en mí torné, decir a mi amo, el cual a cuantos allí venían lo contaba por extenso.

A cabo de tres días, yo torné en mi sentido y vime echado en mis pajas, la cabeza toda emplastada y llena de aceites y ungüentos, y espantado dije:

—¿Qué es esto?

Respondióme el cruel sacerdote:

—A fe que los ratones y culebras que me destruían, ya los he cazado.

Y miré por mí, y vime tan maltratado que luego sospeché mi mal.

A esta hora entró una vieja que ensalmaba,[213] y los vecinos. Y comiénzanme quitar trapos de la cabeza y curar el garrotazo. Y como me hallaron vuelto en mi sentido, holgáronse mucho y dijeron:

—Pues ha tornado en su acuerdo. Placerá a Dios no será nada.

Ahí tornaron de nuevo a contar mis cuitas, y a reirlas, y yo pecador a llorarlas. Con todo esto, diéronme de comer, que estaba transido de hambre, y apenas me pudieron demediar. Y así, de poco en poco, a los quince días me levanté y estuve sin peligro, mas no sin hambre, y medio sano.

Luego otro día que fui levantado, el señor mi amo me tomó por la mano y sacóme la puerta fuera y, puesto en la calle, díjome:

—Lázaro, de hoy más eres tuyo y no mío. Busca amo y vete con Dios. Que yo no quiero en mi compañía tan diligente servidor. No es posible sino que hayas sido mozo de ciego.

Y santiguándose de mí, como si yo estuviera endemoniado, se torna a meter en casa y cierra su puerta.

TRATADO TERCERO

Cómo Lázaro se asentó con un escudero, y de lo que le acaeció con él

Desta manera me fue forzado sacar fuerzas de flaqueza. Y poco a poco, con ayuda de las buenas gentes, di conmigo en esta insigne ciudad de Toledo, adonde con la merced de Dios dende a quince días [214] se me cerró la herida. Y mientras estaba malo, siempre me daban alguna limosna. Mas después que estuve sano, todos me decían:

—Tú bellaco y gallofero [215] eres. Busca, busca un amo a quien sirvas.

"¿Y adónde se hallará ése?"—decía yo entre mí—, "si Dios agora de nuevo, como crió el mundo, no le criase." [216]

Andando así discurriendo de puerta en puerta, con harto poco remedio, porque ya la caridad se subió al cielo, topóme Dios con un escudero [217] que iba por la calle, con razonable vestido, bien peinado, su paso y compás en orden. Miróme, y yo a él, y díjome:

—Mochacho, ¿buscas amo?

Yo le dije:

—Sí, señor.

—Pues vente tras mí,—me respondió—que Dios te ha hecho merced en topar conmigo. Alguna buena oración rezaste hoy.

Y seguíle, dando gracias a Dios por lo que le oí, y también que me parecía, [218] según su hábito y continente, ser el que yo había menester.

Era de mañana cuando este mi tercero amo topé. Y llevóme tras sí gran parte de la ciudad. Pasamos por las plazas do se vendía pan y otras provisiones. Yo pensaba, y aun deseaba, que allí me quería cargar de lo que se vendía, porque ésta era propria hora, cuando se suele proveer de lo necesario. Mas muy a tendido paso pasaba por estas cosas. "Por ventura no le vee [219] aquí a su contento"—decía yo— "y querrá que lo compremos en otro cabo."

Desta manera anduvimos hasta que dio las once. Entonces se entró en la iglesia mayor, y yo tras él, y muy devotamente le vi oir misa y los otros oficios divinos, hasta que todo fue acabado y la gente ida. Entonces salimos de la iglesia y a buen paso tendido comenzamos a ir por una calle abajo. Yo iba el más alegre del mundo en ver que no nos habíamos ocupado en buscar de comer. Bien consideré que debía ser hombre mi nuevo amo que se proveía en junto,[220] y que ya la comida estaría a punto,[221] y tal como yo la deseaba y aún la había menester.

En este tiempo dio el reloj la una después de mediodía y llegamos a una casa ante la cual mi amo se paró, y yo con él. Y derribando el cabo de la capa sobre el lado izquierdo, sacó una llave de la manga y abrió su puerta y entramos en casa. La cual tenía la entrada oscura y lóbrega,[222] de tal manera que parecía que ponía temor a los que en ella entraban, aunque dentro della estaba un patio pequeño y razonables cámaras.

Desque fuimos entrados,[223] quita de sobre sí su capa y, preguntando si tenía las manos limpias, la sacudimos y doblamos y, muy limpiamente soplando un poyo que allí estaba, la puso en él. Y hecho esto, sentóse cabo della, preguntándome muy por extenso de dónde era y cómo había venido a aquella ciudad. Y yo le di más larga cuenta que quisiera, porque me parecía más conveniente hora de mandar poner la mesa y escudillar la olla,[224] que de lo que me pedía. Con todo eso, yo le satisfice de mi persona lo mejor que mentir supe, diciendo mis bienes y callando lo demás, porque me parecía no ser para en cámara.[225]

Esto hecho, estuvo así un poco, y yo luego vi mala señal, por ser ya cuasi las dos y no le ver más aliento [226] de comer que a un muerto. Después desto, consideraba aquel tener cerrada la puerta con llave, ni sentir arriba ni abajo pasos de viva persona por la casa. Todo lo que había visto eran paredes, sin ver en ella silleta, ni tajo,²²⁷ ni banco, ni mesa, ni aun tal arcaz como el de marras. Finalmente, ella parecía casa encantada.

Estando así, díjome:

—Tú, mozo, ¿has comido?

—No, señor,—dije yo—que aún no eran dadas las ocho cuando con vuestra merced encontré.

—Pues, aunque de mañana, yo había almorzado y, cuando así como algo, hágote saber que hasta la noche me estoy así. Por eso, pásate como pudieres,²²⁸ que después cenaremos.

Vuestra merced crea, cuando esto le oí, que estuve en poco de caer de mi estado,²²⁹ no tanto de hambre como por conocer de todo en todo la fortuna serme adversa. Allí se me representaron de nuevo mis fatigas y torné a llorar mis trabajos. Allí se me vino a la memoria la consideración que hacía cuando me pensaba ir del clérigo, diciendo que, aunque aquél era desventurado y mísero, por ventura toparía con otro peor. Finalmente, allí lloré mi trabajosa vida pasada y mi cercana muerte venidera.

Y con todo, disimulando lo mejor que pude, le dije:

—Señor, mozo soy, que no me fatigo mucho por comer, bendito Dios. Deso me podré yo alabar entre todos mis iguales por de mejor garganta,²³⁰ y así fui yo loado della, hasta hoy día, de los amos que yo he tenido.

—Virtud es ésa,—dijo él—y por eso te querré yo más. Porque el hartar es de los puercos, y el comer regladamente es de los hombres de bien.

"¡Bien te he entendido!—dije yo entre mí—¡maldita tanta medicina y bondad como aquestos mis amos que yo hallo hallan en el hambre!

Púseme a un cabo del portal y saqué unos pedazos de pan del seno, que me habían quedado de los de por Dios. ²³¹ El, que vio esto, díjome:

—Ven acá, mozo. ¿Qué comes?

Yo lleguéme a él y mostréle el pan. Tomóme él un pedazo, de tres que eran el mejor y más grande, y díjome:

—Por mi vida, que parece éste buen pan.

—¡Y cómo! ¿Agora,—dije yo—señor, es bueno?

—Sí, a fe—dijo él—. ¿Adónde lo hubiste? ¿Si es amasado de manos limpias?

—No sé yo eso,—le dije—mas a mí no me pone asco el sabor dello.

—Así plega a Dios—dijo el pobre de mi amo.

Y llevándolo a la boca, comenzó a dar en él tan fieros bocados como yo en lo otro.

—Sabrosísimo pan está,—dijo—por Dios.

Y como le sentí de qué pie coxqueaba,[232] dime priesa; porque le vi en disposición, si acababa antes que yo, se comediría[233] a ayudarme a lo que me quedase. Y con esto acabamos casi a una.

Comenzó a sacudir con las manos unas pocas de migajas, y bien menudas, que en los pechos se le habían quedado. Y entró en una camareta que allí estaba, y sacó un jarro desbocado y no muy nuevo, y, desque hubo bebido, convidóme con él. Yo, por hacer del continente,[234] dije:

—Señor, no bebo vino.

—Agua es—me respondió—. Bien puedes beber.

Entonces tomé el jarro y bebí. No mucho, porque de sed no era mi congoja.

Así estuvimos hasta la noche, hablando en cosas que me preguntaba, a las cuales yo le respondí lo mejor que supe. En este tiempo, metióme en la cámara donde estaba el jarro de que bebimos y díjome:

—Mozo, párate allí,[235] y verás cómo hacemos esta cama, para que la sepas hacer de aquí adelante.

Púseme de un cabo, y él del otro, y hecimos[236] la negra cama. En la cual no había mucho que hacer, porque ella tenía sobre unos bancos un cañizo, sobre el cual estaba tendida la ropa, que, por no estar muy continuada a lavarse, no parecía colchón, aunque servía dél, con harta menos lana que era menester.[237] Aquél tendimos, haciendo cuenta de ablandalle. Lo cual era imposible, porque de lo duro mal se puede[238] hacer blando. El diablo del enjalma[239] maldita la cosa tenía dentro de sí. Que, puesto sobre el cañizo, todas las cañas se señalaban, y parecían a lo proprio entrecuesto[240] de flaquísimo puerco. Y sobre aquel hambriento colchón un alfamar [241] del mismo jaez, del cual el color yo no pude alcanzar.

Hecha la cama y la noche venida, díjome:

—Lázaro, ya es tarde, y de aquí a la plaza hay gran trecho. También en esta ciudad andan muchos ladrones, que siendo de noche capean.[242] Pasemos como podamos, y mañana, viniendo el día, Dios hará merced. Porque yo por estar solo no estoy proveído; antes he comido estos días por allá fuera. Mas agora hacerlo hemos de otra manera.

—Señor, de mí—dije yo—ninguna pena tenga vuestra merced, que bien sé pasar una noche, y aun más si es menester, sin comer.

—Vivirás más sano,—me respondió—porque, como decíamos hoy, no hay tal cosa en el mundo para vivir mucho que comer poco.

"Si por esa vía es,"—dije entre mí—"nunca yo moriré, que siempre he guardado esta regla por fuerza, y aun espero, en mi desdicha, a tenella toda mi vida."

Y acostóse en la cama, poniendo por cabecera las calzas y el jubón. Y mandóme echar a sus pies, lo cual yo hice. Mas ¡maldito el sueño que yo dormí! Porque las cañas y mis salidos huesos en toda la noche dejaron de rifar y encenderse.[243] Que con mis trabajos, males y hambre, pienso que en mi cuerpo no había libra de carne. Y también, como aquel día no había comido casi nada, rabiaba de hambre, la cual con el sueño no tenía amistad. Maldíjeme mil veces, ¡Dios me lo perdone!, y a mi ruin fortuna, allí lo más de la noche; y lo peor, no osándome revolver por no despertalle, pedí a Dios muchas veces la muerte.

La mañana venida, levantámonos, y comienza a limpiar y sacudir sus calzas y jubón, sayo y capa, ¡y yo que le servía de pelillo! [244] Y vísteseme muy a su placer de espacio. Echéle aguamanos, peinóse, y púsose su espada en el talabarte y, al tiempo que la ponía, díjome:

—¡Oh si supieses, mozo, qué pieza es ésta! No hay marco de oro [245] en el mundo por que yo la diese. Más así, ninguna de cuantas Antonio [246] hizo, no acertó a ponelle los aceros tan prestos [247] como ésta los tiene.

Y sacóla de la vaina y tentóla con los dedos, diciendo:

—¿Vesla aquí? Yo me obligo con ella cercenar [248] un copo de lana.

Y yo dije entre mí: "y yo con mis dientes, aunque no son de acero, un pan de cuatro libras."

Tornóla a meter, y ciñósela, y un sartal de cuentas gruesas del talabarte. Y con un paso sosegado [249] y el cuerpo derecho, haciendo con él y con la cabeza muy gentiles meneos, echando el cabo de la capa sobre el hombro y a veces so [250] el brazo, y poniendo la mano derecha en el costado, salió por la puerta, diciendo:

—Lázaro, mira por la casa en tanto que voy a oir misa, y haz la cama, y ve por la vasija de agua al río, que aquí bajo está, y cierra la puerta con llave, no nos hurten algo, y ponla aquí al quicio,[251] porque si yo viniere en tanto pueda entrar.

Y súbese por la calle arriba con tan gentil semblante y continente que quien no le conociera pensara ser muy cercano pariente al conde de Arcos, o a lo menos camarero que le daba de vestir.[252]

"¡Bendito seáis Vos, Señor",—quedé yo diciendo—"que dáis la enfermedad y ponéis el remedio! [253] ¿Quién encontrará a aquel mi señor que no piense, según el contento de sí lleva, haber anoche bien cenado y dormido en buena cama y, aunque agora es de mañana, no le cuenten [254] por bien almorzado? ¡Grandes secretos son, Señor, los que vos hacéis y las gentes ignoran! [255] ¿A quién no engañara aquella buena disposición, y razonable capa y sayo? ¿Y quién pensara que aquel gentilhombre se pasó ayer todo el día con aquel mendrugo de pan que su criado Lázaro trujo un día y noche en el arca de su seno, do no se le podía pegar mucha limpieza? ¿Y hoy, lavándose las manos y cara, a falta de paño de manos, se hacía servir de la halda del sayo? Nadie por cierto lo sospechara. ¡Oh Señor, y cuántos de aquéstos debéis Vos tener por el mundo derramados, que padecen, por la negra que llaman honra, lo que por Vos no sufrirían!"

Así estaba yo a la puerta, mirando y considerando estas cosas, hasta que el señor mi amo traspuso [256] la larga y angosta calle. Tornéme a entrar en casa y en un credo la anduve toda, alto y bajo,[257] sin hacer represa [258] ni hallar en qué. Hago la negra, dura cama, y tomo el jarro, y doy conmigo en el río, donde en una huerta vi a mi amo en gran requesta [259] con dos rebozadas mujeres, al parecer de las que en aquel lugar no hacen falta. Antes muchas tienen por estilo de irse a las mañanicas del verano a refrescar, y almorzar sin llevar qué, por aquellas frescas riberas,[260] con confianza que no ha de faltar quien se lo dé, según las tienen puestas en esta costumbre aquellos hidalgos del lugar.

Y, como digo, él estaba entre ellas hecho un Macías,[261] diciéndoles más dulzuras que Ovidio escribió.[262] Pero como sintieron dél que estaba bien enternecido, no se les hizo de vergüenza pedirle de almorzar, con el acostumbrado pago. El, sintiéndose tan frío de bolsa cuanto caliente del estómago, tomóle tal calofrío [263] que le robó la color del gesto, y comenzó a turbarse en la plática y a poner excusas no validas.[264] Ellas, que debían ser bien instituídas,[265] como le sintieron la enfermedad, dejáronle para el que era.

Yo, que estaba comiendo ciertos tronchos de berzas con las cuales me desayuné, con mucha diligencia, como mozo nuevo, sin ser visto de mi amo torné a casa. De la cual pensé barrer alguna parte, que bien era menester; mas no hallé con qué. Púseme a pensar qué haría, y parecióme esperar a mi amo hasta que el día demediase, y si viniese [266] y por ventura trajese algo que comiésemos; mas en vano fue mi experiencia.[267]

Desque vi ser las dos, y no venía, y la hambre me aquejaba, cierro mi puerta y pongo la llave do [268] mandó y tórnome a mi menester. Con baja y enferma voz, e inclinadas mis manos en los senos, puesto Dios ante mis ojos y la lengua en su nombre, comienzo a pedir pan por las puertas y casas más grandes que me parecía. Mas como yo este oficio le hubiese mamado en la leche, quiero decir que con el gran maestro el ciego lo aprendí, tan suficiente [269] discípulo salí que, aunque en este pueblo no había cari-

dad,[270] ni el año fuese muy abundante, tan buena maña me
di que, antes que el reloj diese las cuatro, ya yo tenía otras
tantas libras de pan ensiladas [271] en el cuerpo, y más de
otras dos en las mangas y senos.

Volvíme a la posada y, al pasar por la tripería, pedí a
una de aquellas mujeres, y diome un pedazo de uña de vaca
con otras pocas de tripas cocidas.

Cuando llegué a casa, ya el bueno de mi amo estaba en
ella, doblada su capa y puesta en el poyo, y él paseándose
por el patio. Como entré, vínose para mí. Pensé que me
quería reñir la tardanza. Mas mejor lo hizo Dios. Pregun-
tóme dó venía. Yo le dije:

—Señor, hasta que dio las dos estuve aquí y de que vi
que vuestra merced no venía, fuime por esa ciudad a en-
comendarme a las buenas gentes, y hanme dado esto que
véis.

Mostréle el pan y las tripas, que en un cabo de la halda
traía. A lo cual él mostró buen semblante, y dijo:

—Pues esperado te he a comer, y de que vi que no
viniste, comí. Mas tú haces como hombre de bien en eso,
que más vale pedillo por Dios que no hurtalle.[272] Y así El
me ayude como ello me parece bien.[273] Y solamente te
encomiendo no sepan que vives conmigo, por lo que toca a
mi honra. Aunque bien creo que será secreto, según lo poco
que en este pueblo soy conocido. ¡Nunca a él yo hubiera de
venir!

—Deso pierda, señor, cuidado,—le dije yo—que maldito
aquel que ninguno tiene de pedirme esa cuenta, ni yo de
dalla.

—Agora pues, come, pecador. Que, si a Dios place,
presto nos veremos sin necesidad, aunque te digo que,
después que en esta casa entré, nunca bien me ha ido. Debe
ser de mal suelo.[274] Que hay casas desdichadas y de mal
pie,[275] que a los que viven en ellas pegan la desdicha. Esta
debe ser sin duda dellas.[276] Mas yo te prometo,[277] acabado el
mes no quede en ella, aunque me la den por mía.

Sentéme al cabo del poyo y, porque no me tuviese por
glotón, callé la merienda. Y comienzo a cenar y morder en

mis tripas y pan, y disimuladamente miraba al desventurado señor mío, que no partía sus ojos de mis faldas, que
aquella sazón servían de plato.

Tanta lástima haya Dios de mí como yo había dél, porque
sentí lo que sentía y muchas veces había por ello pasado, y
pasaba cada día. Pensaba si sería bien comedirme a con-
vidalle. Mas, por me haber dicho que había comido, te-
míame no aceptaría el convite. Finalmente, yo deseaba quel
pecador ayudase a su trabajo del mío,[278] y se desayunase
como el día antes hizo; pues había mejor aparejo, por ser
mejor la vianda y menos mi hambre.

Quiso Dios cumplir mi deseo, y aun pienso que el suyo.
Porque, como[279] comencé a comer, él se andaba paseando.
Llegóse a mí y díjome:

—Dígote, Lázaro, que tienes en comer la mejor gracia
que en mi vida vi a hombre, y que nadie te lo vee hacer que
no le pongas gana, aunque no la tenga.

"La muy buena que tú tienes"—dije yo entre mí—"te hace
parecer la mía hermosa."

Con todo, parecióme ayudarle, pues se ayudaba y me abría
camino para ello, y díjele:

—Señor, el buen aparejo hace buen artífice. Este pan
está sabrosísimo, y esta uña de vaca tan bien cocida y sa-
zonada que no habrá a quien no convide con su sabor.

—¿Uña de vaca es?

—Sí, señor.

—Dígote que es el mejor bocado del mundo, y que no
hay faisán que así me sepa.

—Pues pruebe, señor, y verá qué tal está.

Póngole en las uñas la otra, y tres o cuatro raciones de pan
de lo más blanco. Asentóseme al lado, y comienza a comer
como aquel que lo había gana, royendo cada huesecillo de
aquéllos mejor que un galgo suyo lo hiciera.

—Con almodrote[280]—decía—es éste singular manjar.

"Con mejor salsa lo comes tú", respondí yo paso.

—Por Dios, que me ha sabido como si no hubiera hoy
comido bocado.

"¡Así me vengan los buenos años como es ello!",[281] dije yo
entre mí.

Pidióme el jarro del agua, y díselo como lo había traído.
Es señal que, pues no le faltaba el agua, que no le había a
mi amo sobrado la comida. Bebimos, y muy contentos nos
fuimos a dormir como la noche pasada.

Y, por evitar prolijidad, desta manera estuvimos ocho
o diez días, yéndose el pecador en la mañana, con aquel
contento y paso contado, a papar aire [282] por las calles,
teniendo en el pobre Lázaro una cabeza de lobo.[283]

Contemplaba yo muchas veces mi desastre, que, esca-
pando de los amos ruines que había tenido y buscando me-
joría, viniese a topar con quien no sólo no me mantuviese,[284]
mas a quien yo había de mantener. Con todo, le quería bien
con ver que no tenía ni podía más, y antes le había lástima
que enemistad. Y muchas veces, por llevar a la posada con
que él lo pasase, yo lo pasaba mal.

Porque una mañana, levantándose el triste en camisa,
subió a lo alto de la casa a hacer sus menesteres y, en tanto,
yo, por salir de sospecha, desenvolvíle el jubón y las calzas,
que a la cabecera dejó, y hallé una bolsilla de terciopelo
raso, hecha cien dobleces, y sin maldita la blanca ni señal
que la hubiese tenido mucho tiempo.

"Este"—decía yo—"es pobre, y nadie da lo que no
tiene.[285] Mas el avariento ciego y el malaventurado, mezquino clérigo, que, con dárselo Dios a ambos, al uno de
mano besada, y al otro de lengua suelta,[286] me mataban de
hambre, aquéllos es justo desamar, y aquéste es de haber
mancilla.[287]

Dios es testigo que hoy día, cuando topo con alguno de
su hábito, con aquel paso y pompa, le he lástima, con pensar si padece lo que aquél le vi sufrir. Al cual, con toda su
pobreza, holgaría de servir más que a los otros, por lo que
he dicho. Sólo tenía dél un poco de descontento: que quisiera yo que no tuviera tanta presunción, mas que abajara un
poco su fantasía [288] con lo mucho que subía su necesidad.
Mas, según me parece, es regla ya entre ellos usada y guar-
dada. Aunque no haya cornado de trueco, ha de andar el

birrete en su lugar.[289] El Señor lo remedie, que ya con este mal han de morir.

Pues estando yo en tal estado, pasando la vida que digo, quiso mi mala fortuna, que de perseguirme no era satisfecha, que en aquella trabajada y vergonzosa vivienda [290] no durase. Y fue, como el año en esta tierra fuese estéril de pan, acordaron el Ayuntamiento que todos los pobres extranjeros se fuesen de la ciudad, con pregón que el que de allí adelante topasen, fuese punido [291] con azotes. Y así, ejecutando la ley, desde a [292] cuatro días que el pregón se dio, vi llevar una procesión de pobres azotando por las Cuatro Calles.[293] Lo cual me puso tan gran espanto que nunca osé desmandarme a demandar.[294]

¡Aquí viera, quien vello pudiera, la abstinencia de mi casa, y la tristeza y silencio de los moradores della! Tanto, que nos acaeció estar dos o tres días sin comer bocado ni hablar palabra. A mí diéronme la vida unas mujercillas hilanderas de algodón, que hacían bonetes [295] y vivían par de nosotros, con las cuales yo tuve vecindad y conocimiento. Que de la laceria que les traían me daban alguna cosilla, con la cual muy pasado me pasaba.[296]

Y no tenía tanta lástima de mí como del lastimado de mi amo, que en ocho días maldito el bocado que comió. A lo menos en casa bien los estuvimos sin comer. No sé yo cómo o dónde andaba, y qué comía. ¡Y velle venir a mediodía la calle abajo, con estirado cuerpo, más largo que galgo de buena casta! Y por lo que tocaba a su negra, que dicen, honra, tomaba una paja, de las que aun asaz no había en casa, y salía a la puerta escarbando los que nada entre sí tenían, quejándose todavía de aquel mal solar, diciendo:

—Malo está de ver que la desdicha desta vivienda lo hace. Como ves, es lóbrega, triste, oscura.[297] Mientras aquí estuviéremos, hemos de padecer. Ya deseo se acabe este mes por salir della.

Pues, estando en esta afligida y hambrienta persecución, un día, no sé por cuál dicha o ventura, en el pobre poder de mi amo entró un real. Con el cual vino a casa tan ufano como si tuviera el tesoro de Venecia [298] y, con gesto muy alegre y risueño, me lo dio, diciendo:

—Toma, Lázaro, que Dios ya va abriendo su mano. Ve a la plaza y merca [299] pan y vino y carne, ¡quebremos el ojo al diablo! [300] Y más te hago saber, porque te huelgues, que he alquilado otra casa, y en esta desastrada no hemos de estar más de en cumpliendo el mes. ¡Maldita sea ella y el que en ella puso la primera teja, que con mal en ella entré! Por nuestro Señor, cuanto ha que en ella vivo, gota de vino ni bocado de carne no he comido, ni he habido descanso ninguno. Mas ¡tal vista tiene, y tal oscuridad y tristeza! Ve y ven presto, y comamos hoy como condes.

Tomo mi real y jarro y, a los pies dándoles priesa, comienzo a subir mi calle, encaminando mis pasos para la plaza, muy contento y alegre. Mas ¿qué me aprovecha, si está constituído en mi triste fortuna que ningún gozo me venga sin zozobra? Y así fue éste; porque yendo la calle arriba, echando mi cuenta en lo que le [301] emplearía, que fuese mejor y más provechosamente gastado, dando infinitas gracias a Dios, que a mi amo había hecho con dinero, a deshora me vino al encuentro un muerto, que por la calle abajo muchos clérigos y gente en unas andas traían. Arriméme a la pared, por darles lugar, y, desque el cuerpo pasó, venía luego par del lecho una que debía ser su mujer del defunto,[302] cargada de luto, y con ella otras muchas mujeres; la cual iba llorando a grandes voces y diciendo: [303]

—Marido y señor mío, ¿adónde os me llevan? ¡A la casa triste y desdichada, a la casa lóbrega y oscura, a la casa donde nunca comen ni beben!

Yo que aquello oí, juntóseme el cielo con la tierra, y dije:

—¡Oh desdichado de mí! Para mi casa llevan este muerto.

Dejo el camino que llevaba y hendí por medio de la gente y vuelvo por la calle abajo, a todo el más correr que pude, para mi casa. Y entrando en ella, cierro a grande priesa, invocando el auxilio y favor de mi amo, abrazándome dél, que me venga ayudar y a defender la entrada. El cual, algo alterado, pensando que fuese otra cosa, me dijo:

—¿Qué es eso, mozo? ¿Qué voces das? ¿Qué has? ¿Por qué cierras la puerta con tal furia?

—¡Oh señor!—dije yo—¡Acuda aquí, que nos traen acá un muerto!

—¿Cómo así?—respondió él.

—Aquí arriba lo encontré, y venía diciendo su mujer: "marido y señor mío, ¿adónde os llevan? ¡A la casa lóbrega y oscura, a la casa triste y desdichada, a la casa donde nunca comen ni beben!" Acá, señor, nos le traen.

Y ciertamente, cuando mi amo esto oyó, aunque no tenía por qué estar muy risueño, rió tanto que muy gran rato estuvo sin poder hablar. En este tiempo tenía ya yo echada el aldaba a la puerta y puesto el hombro en ella, por más defensa. Pasó la gente con su muerto, y yo todavía me recelaba que nos le habían de meter en casa. Y desque fue ya más harto de reir que de comer el bueno de mi amo, díjome:

—Verdad es, Lázaro, según la viuda lo va diciendo, tú tuviste razón de pensar lo que pensaste. Mas, pues Dios lo ha hecho mejor y pasan adelante, abre, abre, y ve por de comer.

—Déjalos, señor, acaben de pasar la calle—dije yo.
Al fin vino mi amo a la puerta de la calle, y ábrela, esforzándome, que bien era menester, según el miedo y alteración, y me torno a encaminar.

Mas, aunque comimos bien aquel día, maldito el gusto yo tomaba en ello, ni en aquellos tres días torné en mi color. Y mi amo muy risueño, todas las veces que se le acordaba aquella mi consideración.

Desta manera estuve con mi tercero y pobre amo, que fue este escudero, algunos días, y en todos deseando saber la intención de su venida y estada en esta tierra. Porque, desde el primer día que con él asenté le conocí ser extranjero, por el poco conocimiento y trato que con los naturales della tenía.

Al fin se cumplió mi deseo y supe lo que deseaba. Porque un día que habíamos comido razonablemente y estaba algo contento, contóme su hacienda [304] y díjome ser de Castilla la Vieja, y que había dejado su tierra no más de por no quitar el bonete a un caballero su vecino.

—Señor,—dije yo—si él era lo que decís y tenía más que vos, no errábades en quitárselo primero, pues decís que él también os lo quitaba.

—Sí es, y sí tiene, y también me lo quitaba él a mí. Mas, de cuantas veces yo se le quitaba primero, no fuera malo comedirse él alguna y ganarme por la mano.[305]

—Paréceme, señor,—le dije yo—que en eso no mirara, mayormente con mis mayores que yo y que tienen más.

—Eres mochacho—me respondió—y no sientes las cosas de la honra, en que el día de hoy está todo el caudal de los hombres de bien. Pues hágote saber que yo soy, como ves, un escudero. Mas ¡vótote a Dios!, si al conde topo en la calle y no me quita muy bien quitado del todo el bonete, que, otra vez que venga, me sepa yo entrar en una casa, fingiendo yo en ella algún negocio, o atravesar otra calle, si la hay, antes que llegue a mí, por no quitárselo. Que un hidalgo no debe a otro que a Dios y al Rey nada, ni es justo, siendo hombre de bien, se descuide un punto[306] de tener en mucho su persona.

Acuérdome que un día deshonré en mi tierra a un oficial[307] y quise poner en él las manos, porque cada vez que le topaba me decía: "mantenga Dios a vuestra merced."[308] "Vos, don villano ruin,"—le dije yo—¿por qué no sois bien criado? ¿'Manténgaos Dios' me habéis de decir, como si fuese quienquiera?" De allí adelante, de aquí acullá me quitaba el bonete, y hablaba como debía.

—¿Y no es buena manera de saludar un hombre a otro —dije yo—decirle que le mantenga Dios?

—¡Mira mucho de enhoramala![309]—dijo él—A los hombres de poca arte[310] dicen eso. Mas a los más altos, como yo, no les han de hablar menos de: "Beso las manos de vuestra merced", o por lo menos, "Bésoos,[311] señor, las manos", si el que me habla es caballero. Y así de aquel de mi tierra que me atestaba de mantenimiento;[312] nunca más le quise sufrir, ni sufría, ni sufriré a hombre del mundo, del rey abajo, que "Manténgaos Dios" me diga.

"Pecador de mí,"—dije yo—"por eso tiene tan poco cuidado de mantenerte, pues no sufres que nadie se lo ruegue."

—Mayormente—dijo—que no soy tan pobre que no tengo en mi tierra un solar de casas, que a estar [313] ellas en pie y bien labradas, diez y seis leguas de donde nací, en aquella Costanilla [314] de Valladolid, valdrían más de doscientos mil maravedís, según se podrían hacer grandes y buenas. Y tengo un palomar que, a no estar derribado como está, daría cada año más de doscientos palominos. Y otras cosas que me callo, que dejé por lo que tocaba a mi honra.

Y vine a esta ciudad, pensando que hallaría un buen asiento. Mas no me ha sucedido como pensé. Canónigos y señores de la iglesia, muchos hallo. Mas es gente tan limitada [315] que no los sacara de su paso [316] todo el mundo. Caballeros de media talla [317] también me ruegan. Mas servir a éstos es gran trabajo. Porque de hombre os habéis de convertir en malilla,[318] y si no, "Andá con Dios" os dicen. Y las más veces son los pagamentos a largos plazos, y las más ciertas, comido por servido.[319] Ya, cuando quieren reformar conciencia y satisfaceros vuestros sudores, sois librado en la recámara, en un sudado jubón o raída capa o sayo.[320] Ya, cuando asienta hombre [321] con un señor de título, todavía pasa su laceria. Pues ¿por ventura no hay en mí habilidad para servir y contentar a éstos?

Por Dios, si con él topase, muy gran su privado [322] pienso que fuese, y que mil servicios le hiciese, porque yo sabría mentille tan bien como otro, y agradalle a las mil maravillas. Reílle hía [323] mucho sus donaires y costumbres, aunque no fuesen las mejores del mundo. Nunca decille cosa con que le pesase, aunque mucho le cumpliese.[324] Ser muy diligente en su persona, en dicho y hecho. No me matar por no hacer bien las cosas que él no había de ver. Y ponerme a reñir, donde él lo oyese, con la gente de servicio, porque pareciese tener gran cuidado de lo que a él tocaba. Si reñiese [325] con alguno su criado, dar unos puntillos agudos [326] para le encender la ira, y que pareciesen en favor del culpado. Decirle bien de lo que bien le estuviese y, por el contrario, ser malicioso mofador, malsinar [327] a los de

casa y a los de fuera, pesquisar y procurar de saber vidas
ajenas, para contárselas. Y otras muchas galas desta calidad
que hoy día se usan en palacio y a los señores dél parecen
bien. Y no quieren ver en sus casas hombres virtuosos,
antes los aborrecen y tienen en poco, y llaman necios y que
no son personas de negocios ni con quien el señor se puede
descuidar. Y con éstos los astutos usan, como digo, el día
de hoy. De lo que yo usaría, mas no quiere mi ventura
que le halle.

Desta manera lamentaba también su adversa fortuna mi
amo, dándome relación de su persona valeroso. [328]

Pues estando en esto, entró por la puerta un hombre, y
una vieja. El hombre le pide el alquilé [329] de la casa, y la
vieja el de la cama. Hacen cuenta, y de dos meses le alcanzaron lo que él en un año no alcanzara. [330] Pienso que
fueron doce o trece reales. Y él les dio muy buena res-
puesta: que saldría a la plaza a trocar una pieza de a dos, y
que a la tarde volviesen. Mas su salida fue sin vuelta.

Por manera que a la tarde ellos volvieron; mas fue tarde.
Yo les dije que aun no era venido. Venida la noche, y él no,
yo hube miedo de quedar en casa solo, y fuime a las vecinas,
y contéles el caso, y allí dormí.

Venida la mañana, los acreedores vuelven y preguntan
por el vecino; mas, a estotra puerta.[331] Las mujeres les res-
ponden:

—Veis aquí su mozo y la llave de la puerta.
Ellos me preguntaron por él, y díjeles que no sabía adónde
estaba, y que tampoco había vuelto a casa desque salió a
trocar la pieza, y que pensaba que de mí y de ellos se había
ido con el trueco.

De que [332] esto me oyeron, van por un alguacil y un
escribano. Y helos por do vuelven luego con ellos, y toman
la llave, y llámanme, y llaman testigos, y abren la puerta y
entran a embargar la hacienda de mi amo hasta ser pagados
de su deuda.

Anduvieron toda la casa y halláronla desembarazada,
como he contado. Y dícenme:

—¿Qués de la hacienda de tu amo? ¿Sus arcas y paños de pared y alhajas de casa? [333]

—No sé yo eso—les respondí.

—Sin duda—dicen ellos—esta noche lo deben de haber alzado y llevado a alguna parte. Señor alguacil, prended a este mozo, que él sabe dónde está.

En esto vino el alguacil y echóme mano por el collar del jubón, diciendo:

—Mochacho, tú eres preso si no descubres los bienes deste tu amo.

Yo, como en otra tal [334] no me hubiese visto, porque asido del collar sí había sido muchas veces, mas era mansamente dél trabado, para que mostrase el camino al que no vía, yo hube mucho miedo, y llorando prometíle de decir lo que me preguntaban.

—Bien está—dicen ellos—. Pues di lo que sabes y no hayas temor.

Sentóse el escribano en un poyo para escrebir el inventario, preguntándome qué tenía.

—Señores,—dije yo—lo que este mi amo tiene, según él me dijo, es un muy buen solar de casas y un palomar derribado.

—Bien está—dicen ellos—. Por poco que eso valga, hay para nos entregar de la deuda. [335] ¿Y a qué parte de la ciudad tiene eso?—me preguntaron.

—En su tierra—les respondí.

—Por Dios, que está bueno el negocio—dijeron ellos—. ¿Y adónde es su tierra?

—De Castilla la Vieja me dijo él que era—les dije.

Riéronse mucho el alguacil y el escribano, diciendo:

—Bastante relación es ésta para cobrar vuestra deuda, aunque mejor fuese.

Las vecinas, que estaban presentes, dijeron:

—Señores, éste es un niño inocente y ha pocos días que está con ese escudero, y no sabe dél más que vuestras mercedes; sino cuanto [336] el pecadorcico se llega aquí a nuestra casa, y le damos de comer lo que podemos, por amor de Dios, y a las noches se iba a dormir con él.

dos o tres días, haciendo sus acostumbradas diligencias, y no le habían tomado bula, ni a mi ver tenían intención de se la tomar. Estaba dado al diablo con aquello y, pensando qué hacer, se acordó [352] de convidar al pueblo, para otro día de mañana despedir [353] la bula.

Y esa noche, después de cenar, pusiéronse a jugar la colación [354] él y el alguacil. [355] Y sobre el juego vinieron a reñir y a haber malas palabras. El llamó al alguacil ladrón, y el otro a él falsario. Sobre esto, el señor comisario mi señor tomó un lanzón, que en el portal do jugaban estaba. El alguacil puso mano a su espada, que en la cinta tenía. Al ruido y voces que todos dimos, acuden los huéspedes y vecinos y métense en medio. Y ellos, muy enojados, pro- curándose de desembarazar de los que en medio estaban, para se matar, mas como la gente al gran ruido cargase [356] y la casa estuviese llena della, viendo que no podían afren- tarse con las armas, decíanse palabras injuriosas. Entre las cuales el alguacil dijo a mi amo que era falsario y las bulas que predicaba eran falsas.

Finalmente, que [357] los del pueblo, viendo que no basta[ban] a ponellos en paz, acordaron de llevar al alguacil d[e] la posada a otra parte. Y así quedó mi amo muy enojad[o.] Y después que los huéspedes y vecinos le hubieron roga[do] [que] perdiese el enojo y se fuese a dormir, así nos echam[os] [tod]os.

La mañana venida, mi amo se fue a la iglesia y ma[ndó toca]r a misa y al sermón para despedir la bula. Y el pue[blo se j]untó. El cual andaba murmurando de las bulas, dicie[ndo que] no eran falsas, y que el mismo alguacil riñendo lo ha[bía des]cubierto. De manera que, atrás [358] que tenían mala g[ana, con] omalla, con aquello del todo la aborrecieron.

El señor comisario se subió al púlpito y comienza su [sermó]n y a animar la gente a que no quedasen sin tanto [bien e in]dulgencia como la santa bula traía. Estando en lo m[ejor del] sermón, entra por la puerta de la iglesia el algua[cil, y] [después q]ue hizo oración, levantóse y, con voz alta y pau[sa]- [da]mente comenzó a decir:

[—]Buenos hombres, oídme una palabra, que d[espués]

Vista mi inocencia, dejáronme, dándome por libre. Y el alguacil y el escribano piden al hombre y a la mujer sus derechos; sobre lo cual tuvieron gran contienda y ruido. Porque ellos allegaron [337] no ser obligados a pagar, pues no había de qué ni se hacía el embargo. Los otros decían que habían dejado de ir a otro negocio, que les importaba más, por venir a aquél.

Finalmente, después de dadas muchas voces, al cabo carga un porquerón [338] con el viejo alfamar de la vieja. Y aunque no iba muy cargado, allá van todos cinco dando voces. No sé en qué paró. Creo yo que el pecador alfamar pagara por todos, y bien se empleaba; pues el tiempo que había de reposar y descansar de los trabajos pasados, se andaba alquilando.

Así, como he contado, me dejó mi pobre tercero amo, do acabé de conocer mi ruin dicha. Pues, señalándose [339] todo lo que podría contra mí, hacía mis negocios tan al revés que los amos, que suelen ser dejados de los mozos, en mí no fuese así, mas que mi amo me dejase y huyese de mí.

TRATADO CUARTO

Cómo Lázaro se asentó con un fraile de la Merced[340], *y de lo que le acaeció con él*

Hube de buscar el cuarto, y éste fue un fraile de la Merced, que[341] las mujercillas que digo me encaminaron. Al cual ellas le llamaban pariente. Gran enemigo del coro y de comer en el convento, perdido[342] por andar fuera, amicísimo de negocios seglares y visitas. Tanto, que pienso que rompía él más zapatos que todo el convento. Este me dio los primeros zapatos que rompí[343] en mi vida. Mas no me duraron ocho días, ni yo pude con su trote durar más. Y por esto, y por otras cosillas que no digo, salí dél.

TRATADO QUI

Cómo Lázaro se asentó con un buldero, y de las cosas que con él pasó

En el quinto por mi ventura di, que fue un bul más desenvuelto y desvergonzado, y el mayor dellas, que jamás yo vi, ni ver espero ni pienso Porque tenía y buscaba modos y maneras y r invenciones.

En entrando en los lugares do habían de prese primero presentaba[345] a los clérigos o curas algu no tampoco de mucho valor ni substancia: murciana,[346] si era por el tiempo, un par de lir jas, un melocotón, un par de duraznos, cada verdiñales.[347] Así procuraba tenerlos propicio voreciesen su negocio y llamasen sus feligres bula.

Ofreciéndosele a él las gracias, informáb ciencia[348] dellos. Si decían que entendían, labra en latín por no dar tropezón; mas de un gentil y bien cortado romance,[349] y lengua. Y si sabían que los dichos clérigos rendos—digo que más con dineros que reverendas[350] se ordenan—, hacíase entr Tomás y hablaba dos horas en latín; a parecía, aunque no lo era.

Cuando por bien no le tomaban las bu por mal se las tomasen. Y para aquello pueblo, y otras veces con mañosos ar todos los que le veía hacer sería largo muy sotil y donoso, con el cual probaré

En un lugar de la Sagra[351] de Tol

oiréis a quien quisiéredes. Yo vine aquí con este echa-cuervo [359] que os predica. El cual me engañó y dijo que le favoreciese en este negocio y que partiríamos la ganancia. Y ahora, visto el daño que haría a mi conciencia y a vues-tras haciendas, arrepentido de lo hecho, os declaro clara-mente que las bulas que predica son falsas, y que no le creáis ni las toméis, y que yo *directe* ni *indirecte* [360] no soy parte en ellas, y que desde agora dejo la vara [361] y doy con ella en el suelo. Y si en algún tiempo éste fuere castigado por la falsedad, que vosotros me seáis testigos como yo no soy con él ni le doy a ello ayuda; antes os desengaño y de-claro su maldad.

Y acabó su razonamiento.[362]

Algunos hombres honrados que allí estaban se quisieron levantar y echar al alguacil fuera de la iglesia, por evitar escándalo. Mas mi amo les fue a la mano [363] y mandó a todos que, so pena de excomunión, no le estorbasen; mas que le dejasen decir todo lo que quisiese. Y así él también tuvo silencio mientras el alguacil dijo todo lo que he dicho.

Como calló, mi amo le preguntó si quería decir más, que lo dijese. El alguacil dijo:

—Harto más hay que decir de vos y de vuestra falsedad. Mas por agora basta.

El señor comisario se hincó de rodillas en el púlpito y, puestas las manos [364] y mirando al cielo, dijo así:

—Señor Dios, a quien ninguna cosa es escondida, antes todas manifiestas, y a quien nada es imposible, antes todo posible, Tú sabes la verdad, y cuán injustamente yo soy afrentado. En lo que a mí toca, yo le perdono, porque Tú, Señor, me perdones. No mires a aquél que no sabe lo que hace ni dice. Mas la injuria a Ti hecha, Te suplico y por justicia Te pido, no disimules. Porque alguno que está aquí, que por ventura pensó tomar aquesta santa bula, dando crédito a las falsas palabras de aquel hombre, lo dejara de hacer. Y, pues es tanto perjuicio del prójimo, Te suplico yo, Señor, no lo disimules; mas luego muestra aquí milagro, y sea desta manera: que si es verdad lo que aquél dice y que yo traigo maldad y falsedad, este púlpito se

hunda conmigo [365] y meta siete estados [366] debajo de tierra,
do él ni yo jamás parezcamos. Y si es verdad lo que yo
digo y aquél, persuadido del demonio, por quitar y privar
a los que están presentes de tan gran bien, dice maldad,
también sea castigado y de todos conocida su malicia.

Apenas había acabado su oración el devoto señor mío,
cuando el negro alguacil [367] cae de su estado [368] y da tan
gran golpe en el suelo que la iglesia toda hizo resonar. Y
comenzó a bramar y echar espumajos [369] por la boca, y
torcella, y hacer visajes [370] con el gesto, dando de pie y de
mano, revolviéndose por aquel suelo a una parte y a otra.

El estruendo y voces de la gente era tan grande que no se
oían unos a otros. Algunos estaban espantados y temerosos.
Unos decían:

—¡El Señor le socorra y valga!

Otros:

—Bien se le emplea,[371] pues levantaba tan falso testimonio.

Finalmente, algunos que allí estaban, y, a mi parecer, no
sin harto temor, se llegaron y le trabaron de los brazos, con
los cuales daba fuertes puñadas a los que cerca dél estaban.
Otros le tiraban por las piernas, y tuvieron [372] reciamente,
porque no había mula falsa en el mundo que tan recias
coces tirase. Y así le tuvieron un gran rato; porque más
de quince hombres estaban sobre él, y a todos daba las
manos llenas y, si se descuidaban, en los hocicos.

A todo esto, el señor mi amo estaba en el púlpito de rodillas, las manos y los ojos puestos en el cielo, transpor-
tado en la divina esencia, que el planto [373] y ruido y voces
que en la iglesia había no eran parte [374] para apartalle de su
divina contemplación.

Aquellos buenos hombres llegaron a él y, dando voces,
le despertaron, y le suplicaron quisiese socorrer a aquel
pobre que estaba muriendo, y que no mirase a las cosas
pasadas ni a sus dichos malos, pues ya dellos tenía el pago;
mas si en algo podía aprovechar para librarle del peligro
y pasión que padecía, por amor de Dios lo hiciese. Pues
ellos veían clara la culpa del culpado, y la verdad y bondad

suya, pues a su petición y venganza el Señor no alargó el castigo.

El señor comisario, como quien despierta de un dulce sueño, los miró, y miró al delincuente, y a todos los que alrededor estaban, y muy pausadamente les dijo:

—Buenos hombres, vosotros nunca habíades de rogar por un hombre en quien Dios tan señaladamente se ha señalado.[375] Mas, pues El nos manda que no volvamos mal por mal y perdonemos las injurias, con confianza podremos suplicalle que cumpla lo que nos manda y Su Majestad perdone a éste que le ofendió poniendo en Su santa fe obstáculo. Vamos todos a suplicalle.

Y así bajó del púlpito, y encomendó a que muy devotamente suplicasen a nuestro Señor tuviese por bien de perdonar a aquel pecador, y volverle en su salud y sano juicio, y lanzar dél el demonio, si Su Majestad había permitido que por su gran pecado en él entrase. Todos se hincaron de rodillas y, delante del altar con los clérigos, comenzaban a cantar con voz baja una letanía. Y viniendo él con la cruz y agua bendita, después de haber sobre él cantado, el señor mi amo, puestas las manos al cielo, y los ojos que casi nada se le parecía sino un poco de blanco, comienza una oración no menos larga que devota, con la cual hizo llorar a toda la gente, como suelen hacer en los sermones de Pasión, de predicador y auditorio devoto, suplicando a nuestro Señor, pues no quería la muerte del pecador, sino su vida y arrepentimiento,[376] que aquel,[377] encaminado por el demonio y persuadido, de la muerte y pecado le quisiese perdonar,[378] y dar vida y salud, para que se arrepintiese y confesase sus pecados.

Y esto hecho, mandó traer la bula y púsosela en la cabeza.[379] Y luego el pecador del alguacil comenzó poco a poco a estar mejor y tornar en sí. Y desque fue bien vuelto en su acuerdo, echóse a los pies del señor comisario y, demandándole perdón, confesó haber dicho aquello por la boca y mandamiento del demonio, lo uno por hacer a él daño y vengarse del enojo, lo otro y más principal, porque el demonio recibía mucha pena del bien que allí se hiciera en tomar la bula.

El señor mi amo le perdonó, y fueron hechas las amistades entre ellos. Y a tomar la bula hubo tanta priesa que casi ánima viviente en el lugar no quedó sin ella, marido y mujer, y hijos y hijas, mozos y mozas.

Divulgóse la nueva de lo acaecido por los lugares comarcanos y, cuando a ellos llegábamos, no era menester sermón ni ir a la iglesia. Que a la posada la venían a tomar como si fueran peras que se dieran de balde. De manera que, en diez o doce lugares de aquellos alrededores donde fuimos, echó el señor mi amo otras tantas mil bulas sin predicar sermón.

Cuando se hizo el ensayo,[380] confieso mi pecado, que también fui dello espantado y creí que así era, como otros muchos. Mas, con ver después la risa y burla que mi amo y el alguacil llevaban y hacían del negocio, conocí cómo había sido industriado[381] por el industrioso y inventivo de mi amo. Y, aunque mochacho, cayóme mucho en gracia, y dije entre mí: "¡cuántas déstas deben de hacer estos burladores entre la inocente gente!"

Finalmente, estuve con este mi quinto amo cerca de cuatro meses, en los cuales pasé también hartas fatigas.

Cómo Lázaro se asentó con un capellán, y lo que con él pasó

Después desto, asenté con un maestro de pintar pan-
deros, para molelle los colores, y también sufrí mil males.

Siendo ya en este tiempo buen mozuelo, entrando un día
en la iglesia mayor, [382] un capellán della me recibió por
suyo. Y púsome en poder un buen asno y cuatro cántaros
y un azote, y comencé a echar agua [383] por la ciudad. Este
fue el primer escalón que yo subí para venir a alcanzar
buena vida, porque mi boca era medida.[384] Daba cada día
a mi amo treinta maravedís ganados y los sábados [385] ganaba
para mí, y todo lo demás, entre semana, de treinta maravedís.[386]

Fueme tan bien en el oficio que al cabo de cuatro años que
lo usé, con poner en la ganancia buen recaudo, ahorré para
me vestir muy honradamente de la ropa vieja. De la cual
compré un jubón de fustán viejo,[387] y un sayo raído de
manga tranzada y puerta,[388] y una capa que había sido
frisada, y una espada de las viejas primeras de Cuéllar.[389]
Desque me vi en hábito de hombre de bien, dije a mi amo
se tomase su asno, que no quería más seguir aquel oficio.

Cómo Lázaro se asentó con un alguacil, y de lo que le acaeció con él

Despedido del capellán, asenté por hombre de justicia con un alguacil. Mas muy poco viví con él, por parecerme oficio peligroso. Mayormente, que una noche nos corrieron a mí y a mi amo a pedradas y a palos unos retraídos.[390] Y a mi amo, que esperó, trataron mal. Mas a mí no me alcanzaron.

Con esto renegué del trato.[391] Y pensando en qué modo de vivir haría mi asiento, por tener descanso y ganar algo para la vejez, quiso Dios alumbrarme y ponerme en camino y manera provechosa. Y con favor que tuve de amigos y señores, todos mis trabajos y fatigas hasta entonces pasados fueron pagados con alcanzar lo que procuré. Que fue un oficio real, viendo que no hay nadie que medre, sino los que le tienen.[392]

En el cual el día de hoy yo vivo y resido a servicio de Dios y de vuestra merced. Y es que tengo cargo de pregonar los vinos que en esta ciudad se venden, y en almonedas, y cosas perdidas, acompañar los que padecen persecuciones por justicia[393] y declarar a voces sus delitos: pregonero,[394] hablando en buen romance.

Hame sucedido tan bien, y yo le he usado tan fácilmente, que casi todas las cosas al oficio tocantes pasan por mi mano. Tanto, que en toda la ciudad el que ha de echar vino a vender o algo, si Lázaro de Tormes no entiende en ello,[395] hacen cuenta de no sacar provecho.

En este tiempo, viendo mi habilidad y buen vivir, teniendo noticia de mi persona, el señor Arcipreste de Sant Salvador,[396] mi señor, y servidor y amigo de vuestra merced, porque le pregonaba sus vinos, procuró casarme [397] con una criada suya. Y visto por mí que de tal persona no podía venir sino bien y favor, acordé de lo hacer; y así me casé con ella y hasta agora no estoy arrepentido. Porque, allende de ser buena hija, y diligente servicial, [398] tengo en mi señor arcipreste todo favor y ayuda. Y siempre en el año le da en veces al pie de una carga de trigo, por las pascuas su carne, y cuándo el par de los bodigos, las calzas viejas que deja. [399] Y hízonos alquilar una casilla par de la suya. Los domingos y fiestas casi todas las comíamos en su casa.

Mas malas lenguas, que nunca faltaron, no nos dejan vivir, diciendo no sé qué, y si sé que veen a mi mujer irle a hacer la cama, y guisalle de comer. Y mejor les ayude Dios que ellos dicen la verdad. [400]

Porque, allende de no ser ella mujer que se pague [401] destas burlas, mi señor me ha prometido lo que pienso cumplirá. Que él me habló un día muy largo delante della, y me dijo:

—Lázaro de Tormes, quien ha de mirar a dichos de malas lenguas, nunca medrará. Digo esto porque no me maravillaría, alguno viendo entrar en mi casa a tu mujer y salir della. [402] Ella entra muy a tu honra y suya, y esto te lo prometo. [403] Por tanto, no mires a lo que pueden decir, sino a lo que te toca, digo a tu provecho.

—Señor,—le dije—yo determiné de arrimarme a los buenos. Verdad es que algunos de mis amigos me han dicho algo deso, y aun por más de tres veces me han certificado que, antes que conmigo casase, había parido tres veces, hablando con reverencia de vuestra merced, porque está ella delante.

Entonces mi mujer echó juramentos sobre sí, que yo pensé la casa se hundiera con nosotros. Y después tomóse [404] a llorar y a echar mil maldiciones sobre quien conmigo la había casado. En tal manera que quisiera ser muerto antes que se me hubiera soltado aquella palabra de la boca. Mas yo de un cabo, y mi señor de otro, tanto le dijimos y otorgamos [405] que cesó su llanto, con juramento, que le hice, de nunca más en mi vida mentalle nada de aquello, y que yo holgaba y había por bien de que ella entrase y saliese de noche y de día, pues estaba bien seguro de su bondad.

Y así quedamos todos tres bien conformes. Hasta el día de hoy nunca nadie nos oyó sobre el caso; antes, cuando alguno siento que quiere decir algo della, le atajo y le digo:

—Mirá, si sois mi amigo, no me digáis cosa con que me pese,[406] que no tengo por mi amigo al que me hace pesar.[407] Mayormente, si me quieren meter mal con mi mujer, que es la cosa del mundo que yo más quiero, y la amo más que a mí. Y me hace Dios con ella mil mercedes y más bien que yo merezco. Que yo juraré sobre la hostia consagrada que es tan buena mujer como vive dentro de las puertas de Toledo. Y quien otra cosa me dijere, yo me mataré con él.

Desta manera no me dicen nada, y yo tengo paz en mi casa.

Esto fue el mesmo[408] año que nuestro victorioso Emperador en esta insigne ciudad de Toledo entró, y tuvo en ella cortes y se hicieron grandes regocijos y fiestas,[409] como vuestra merced habrá oído.

Pues en este tiempo estaba en mi prosperidad, y en la cumbre de toda buena fortuna.

El Abencerraje

Este es un vivo retrato de virtud,[1] liberalidad, esfuerzo,[2] gentileza y lealtad, compuesto de Rodrigo de Narváez y el Abencerraje y Jarifa, su padre y el rey de Granada; del cual, aunque los dos formaron y dibujaron todo el cuerpo, los demás no dejaron de ilustrar la tabla[3] y dar algunos rasguños en ella. Y como el precioso diamante engastado en oro o en plata o en plomo siempre tiene su justo y cierto valor por los quilates de su oriente,[4] así la virtud, en cualquier dañado subjecto[5] que asiente, resplandece y muestra sus accidentes, bien que la esencia y efecto de ella es como el grano que cayendo en buena tierra se acrescienta,[6] y en la mala se perdió.

El Abencerraje

Dice el cuento que en tiempo del infante don Fernando, que ganó a Antequera,[7] fue un caballero que se llamó Rodrigo de Narváez,[8] notable en virtud y hechos de armas. Este, peleando contra moros, hizo cosas de mucho esfuerzo, y particularmente en aquella empresa y guerra de Antequera hizo hechos dignos de perpetua memoria, sino que [9] esta nuestra España tiene en tan poco el esfuerzo, por serle tan natural y ordinario, que le paresce [10] que cuanto se puede hacer es poco; no como aquellos romanos y griegos que al hombre que se aventuraba a morir una vez en toda la vida, le hacían en sus escriptos [11] inmortal y le trasladaban en las estrellas.[12]

Hizo, pues, este caballero tanto en servicio de su ley [13] y de su Rey que, después de ganada la villa, le hizo alcaide della [14] para que, pues había sido tanta parte en ganalla, lo fuese en defendella.[15] Hízole también alcaide de Alora,[16] de suerte que tenía a cargo ambas fuerzas, repartiendo el tiempo en ambas partes y acudiendo siempre a la mayor necesidad.

Lo más ordinario residía en Alora; y allí tenía cincuenta escuderos hijosdalgo [17] a los gajes del Rey,[18] para la defensa y seguridad de la fuerza; y este número nunca faltaba, como los inmortales del rey Darío,[19] que, en muriendo uno,[20] ponían otro en su lugar. Tenían todos ellos tanta fee y fuerza en la virtud de su capitán que ninguna empresa se les hacía difícil; y así no dejaban de ofender a sus enemigos y defenderse dellos; y en todas las escaramuzas que entraban,[21] salían vencedores, en lo cual ganaban honra y provecho, de que andaban siempre ricos.

Pues una noche, acabando de cenar, que hacía el tiempo muy sosegado, el alcaide dijo a todos ellos estas palabras:

—Parésceme, hijosdalgo, señores y hermanos míos, que ninguna cosa despierta tanto los corazones de los hombres como el continuo ejercicio de las armas, porque con él se cobra experiencia en las propias y se pierde miedo a las ajenas. Y desto no hay para que yo traya[22] testigos de fuera, porque vosotros sois verdaderos testimonios. Digo esto porque han pasado muchos días que no hemos hecho cosa que nuestros nombres acresciente, y sería dar yo mala cuenta de mí y de mi oficio si, teniendo a cargo tan virtuosa gente y valiente compañía, dejase pasar el tiempo en balde. Parésceme, si os paresce, pues la claridad y seguridad de la noche nos convida, que será bien dar a entender a nuestros enemigos que los valedores de Alora no duermen. Yo os he dicho mi voluntad. Hágase lo que os paresciere.

Ellos respondieron que ordenase, que todos le seguirían. Y, nombrando nueve dellos, los hizo armar. Y, siendo armados, salieron por una puerta falsa que la fortaleza tenía, por no ser sentidos,[23] porque la fortaleza quedase a buen recado. Y yendo por su camino adelante, hallaron otro que se dividía en dos. El alcaide les dijo:

—Ya podría ser que, yendo todos por este camino, se nos fuese la caza por este otro. Vosotros cinco os id por el uno, yo con estos cuatro me iré por el otro; y si acaso los unos toparen enemigos que no basten a vencer, toque uno su cuerno[24] y a la señal acudirán los otros en su ayuda.

Yendo los cinco escuderos por su camino adelante, hablando en[25] diversas cosas, el uno dellos dijo:

—Teneos, compañeros, que o yo me engaño o viene gente.

Y, metiéndose entre una arboleda que junto al camino se hacía, oyeron ruido. Y, mirando con más atención, vieron venir por donde ellos iban un gentil moro en un caballo ruano. El era grande de cuerpo y hermoso de rostro, y parescía muy bien a caballo. Traía vestida una marlota de carmesí,²⁶ y un albornoz de damasco del mismo color, todo bordado de oro y plata. Traía el brazo derecho regazado,²⁷ y labrada²⁸ en él una hermosa dama, y en la mano una gruesa y hermosa lanza de dos hierros. Traía una darga²⁹ y cimitarra, y en la cabeza una toca tunecí que, dándole muchas vueltas por ella, le servía de hermosura y defensa de su persona. En este hábito venía el moro, mostrando gentil continente y cantando un cantar que él compuso en la dulce membranza³⁰ de sus amores, que decía:

> Nascido en Granada,
> criado en Cártama,
> enamorado en Coín,³¹
> frontero de Alora.

Aunque a la música faltaba el arte, no faltaba al moro contentamiento. Y como traía el corazón enamorado, a todo lo que decía daba buena gracia. Los escuderos, trasportados en verle, erraron poco de dejarle pasar,³² hasta que dieron sobre él. El, viéndose salteado, con ánimo gentil volvió por sí,³³ y estuvo por ver lo que harían. Luego, de los cinco escuderos, los cuatro se apartaron, y el uno le acometió; mas como el moro sabía más de aquel menester, de una lanzada dio con él y con su caballo en el suelo. Visto esto, de los cuatro que quedaban, los tres le acometieron, paresciéndoles muy fuerte; de manera que ya contra el moro eran tres cristianos, que cada uno bastaba para diez moros, y todos juntos no podían con éste solo. Allí se vio en gran peligro, porque se le quebró la lanza y los escuderos le daban mucha priesa;³⁴ mas, fingiendo que huía, puso las piernas a su caballo y arremetió al escudero que derribara;³⁵ y como una ave se colgó de la silla y le tomó su lanza, con la cual volvió a hacer rostro a sus enemigos, que le iban siguiendo, pensando que huía, y diose tan buena maña que a poco rato tenía de los tres los dos en el suelo. El otro que quedaba, viendo la necesidad de sus compañeros, tocó el cuerno y fue a ayudarlos. Aquí se trabó fuertemente la escaramuza, porque ellos estaban afrontados³⁶ de ver que un caballero les duraba tanto, y a él le iba más que la vida en defenderse dellos. A esta hora le dio uno de los dos escuderos una lanzada en un muslo que, a no ser [37] el golpe en soslayo, se le pasara todo. El, con rabia de verse herido, volvió por sí y diole una lanzada que dio con él y con su caballo muy mal herido en tierra.

Rodrigo de Narváez, barruntando la necesidad en que sus compañeros estaban, atravesó el camino y, como traía mejor caballo, se adelantó; y viendo la valentía del moro, quedó espantado,[38] porque de los cinco escuderos tenía los cuatro en el suelo y el otro casi al mismo punto. El le dijo:

—Moro, vente a mí, y si tú me vences yo te aseguro de los demás.

Y comenzaron a trabar brava escaramuza. Mas como el alcaide venía de refresco,[39] y el moro y su caballo estaban heridos, dábale tanta priesa que no podía mantenerse. Mas, viendo que en sola [40] esta batalla le iba la vida y contentamiento, dio una lanzada a Rodrigo de Narváez que, a no tomar el golpe en su darga, le hubiera muerto. El, en rescibiendo [41] el golpe, arremetió a él y diole una herida en el brazo derecho; y cerrando luego con él, le trabó a brazos y, sacándole de la silla, dio con él en el suelo. Y yendo sobre él, le dijo:

—Caballero, date por vencido; si no, matarte he.[42]

—Matarme bien podrás,—dijo el moro—que en tu poder me tienes, mas no podrá vencerme sino quien una vez me venció.

El alcaide no paró [43] en el misterio con que se decían estas palabras y, usando en aquel punto de su acostumbrada virtud, le ayudó a levantar, porque de la herida que le dio el escudero en el muslo y de la del brazo, aunque no eran grandes, y del gran cansancio y caída, quedó quebrantado; y tomando de los escuderos aparejo,[44] le ligó las heridas. Y hecho esto, le hizo subir en un caballo de un escudero, porque el suyo estaba herido, y volvieron el camino de Alora. Y yendo por él adelante, hablando en la buena disposición y valentía del moro, él dio un grande y profundo sospiro,[45] habló algunas palabras en algarabía, que ninguno entendió. Rodrigo de Narváez iba mirando su buen talle y dispusición;[46] acordábasele de lo que le vio hacer y parecíale que tan gran tristeza en ánimo tan fuerte no podía proceder de sola la causa que allí parescía. Y, por informarse dél, le dijo:

—Caballero, mirad que el prisionero que en la prisión pierde el ánimo, aventura el derecho de la libertad. Mirad que en la guerra los caballeros han de ganar y perder, porque los más de sus trances están subjectos a la Fortuna;[47] y paresce flaqueza que quien hasta aquí ha dado tan buena muestra de su esfuerzo, la dé ahora tan mala. Si sospiráis del dolor de las llagas, a lugar vais do[48] seréis bien curado. Si os duele la prisión, jornadas son de guerra a que están subjectos cuantos la siguen. Y si tenéis otro dolor secreto, fialde[49] de mí, que yo os prometo como hijodalgo de hacer por remediarle lo que en mí fuere.

El moro, levantando el rostro, que en el suelo tenía, le dijo:

—¿Cómo os llamáis, caballero, que tanto sentimiento mostráis de mi mal?

El le dijo:

—A mí llaman Rodrigo de Narváez; soy alcaide de Antequera y Alora.

El moro, tornando el semblante algo alegre, le dijo:

—Por cierto, ahora pierdo parte de mi queja, pues ya que mi Fortuna me fue adversa, me puso en vuestras manos, que, aunque nunca os vi sino ahora, gran noticia tengo de vuestra virtud y expiriencia[50] de vuestro esfuerzo. Y porque no os parezca que el dolor de las heridas me hace sospirar, y también porque me paresce que en vos cabe cualquier secreto, mandad apartar vuestros escuderos y hablaros he dos palabras.

El alcaide los hizo apartar; y, quedando solos, el moro, arrancando un gran sospiro, le dijo:

—Rodrigo de Narváez, alcaide tan nombrado de Alora, está[51] atento a lo que te dijere y verás si bastan los casos de mi fortuna a derribar un corazón de un hombre captivo.[52] A mí llaman Abindarráez el mozo, a diferencia de

un tío mío, hermano de mi padre, que tiene el mismo
nombre. Soy de los Abencerrajes [53] de Granada, de los
cuales muchas veces habrás oído decir; y aunque me bastaba la lástima presente, sin acordar [54] las pasadas, todavía
te quiero contar esto.

Hubo en Granada un linaje de caballeros que llamaban
los Abencerrajes, que eran la flor [55] de todo aquel reino,
porque en gentileza de sus personas, buena gracia, disposición y gran esfuerzo, hacían ventaja a todos los demás.
Eran muy estimados del Rey y de todos los caballeros, y
muy amados y quistos [56] de la gente común. En todas las
escaramuzas que entraban, salían vencedores; y en todos los
regocijos de caballería se señalaban. Ellos inventaban las
galas y los trajes; de manera que se podía bien decir que en
ejercicio de paz y de guerra eran regla y ley de todo el
reino. Dícese que nunca hubo Abencerraje escaso [57] ni co-
barde ni de mala disposición. No se tenía por Abencerraje
el que no servía dama, ni se tenía por dama la que no tenía
Abencerraje por servidor. Quiso la Fortuna, enemiga de su
bien, que de esta excelencia cayesen de la manera que oirás.

El Rey de Granada hizo a dos de estos caballeros, los que
más valían, un notable e injusto agravio, movido de falsa
información que contra ellos tuvo. Y quísose decir, aunque
yo no lo creo, que estos dos, y a su instancia otros diez, se
conjuraron de matar al Rey y dividir el reino entre sí, ven-
gando su injuria. Esta conjuración, siendo verdadera o
falsa, fue descubierta; y por no escandalizar el Rey el reino,
que tanto los amaba, los hizo a todos una noche degollar,
porque, a dilatar [58] la injusticia, no fuera poderoso de ha-
cella. Ofresciéronle al Rey grandes rescates por sus vidas,
mas él aun escuchallo no quiso. Cuando la gente se vio sin
esperanza de sus vidas, comenzó de nuevo a llorarlos. Llorábanlos los padres que los engendraron y las madres que
los parieron; llorábanlos las damas a quien servían y los
caballeros con quien se acompañaban. Y toda la gente
común alzaba un tan grande y continuo alarido como si
la ciudad se entrara [59] de enemigos, de manera que si a

precio de lágrimas se hubieran de comprar sus vidas, no murieran los Abencerrajes tan miserablemente.

Vees [60] aquí en lo que acabó tan esclarecido linaje, y tan principales caballeros como en él había. Considera cuánto tarda la Fortuna en subir un hombre, y cuán presto le derriba; cuánto tarda en crescer un árbol, y cuán presto va al fuego; con cuánta dificultad se edifica una casa, y con cuánta brevedad se quema; cuántos podrían escarmentar en las cabezas destos desdichados, pues tan sin culpa padecieron con público pregón. Siendo tantos y tales y estando en el favor del mismo Rey, sus casas fueron derribadas, sus heredades enajenadas, y su nombre dado en el reino por traidor. Resultó deste infelice [61] caso que ningún Abencerraje pudiese vivir en Granada, salvo mi padre y un tío mío, que hallaron inocentes deste delicto,[62] a condición que los hijos que les nasciese enviasen a criar fuera de la ciudad para que no volviesen a ella, y las hijas casasen fuera del reino.

Rodrigo de Narváez, que estaba mirando con cuánta pasión [63] le contaba su desdicha, le dijo:

—Por cierto, caballero, vuestro cuento es estraño,[64] y la sinrazón que a los Abencerrajes se hizo fue grande, porque no es de creer que, siendo ellos tales, cometiesen traición.

—Es como yo lo digo—dijo él—. Y aguardad más y veréis cómo desde allí todos los Abencerrajes [65] deprendimos [66] a ser desdichados. Yo salí al mundo del vientre de mi madre y, por cumplir mi padre el mandamiento del Rey, envióme a Cártama al alcaide que en ella estaba, con quien tenía estrecha amistad. Este tenía una hija, casi de mi edad, a quien amaba más que a sí, porque allende [67] de ser sola y hermosísima, le costó la mujer, que murió de su parto. Esta y yo en nuestra niñez siempre nos tuvimos por hermanos, porque así nos oíamos llamar. Nunca me acuerdo haber pasado hora que no estuviésemos juntos. Juntos nos criaron, juntos andábamos, juntos comíamos y bebíamos. Nascíónos desta conformidad un natural amor, que fue siempre creciendo con nuestras edades.

Acuérdome que, entrando una siesta [68] en la huerta que dicen de los jazmines, la hallé sentada junto a la fuente, componiendo su hermosa cabeza. Miréla, vencido de su hermosura, y parescióme a Salmacis, y dije entre mí:

—¡Oh, quién fuera Troco [69] para parescer ante esta hermosa diosa!

No sé cómo me pesó de que fuese mi hermana; y no aguardando más, fuime a ella; y cuando me vio, con los brazos abiertos me salió a rescebir [70] y, sentándome junto a sí, me dijo:

—Hermano, ¿cómo me dejastes [71] tanto tiempo sola?

Yo la respondí:

—Señora mía, porque ha gran rato que os busco y nunca hallé quien me dijese dó estábades, [72] hasta que mi corazón me lo dijo. Mas decidme ahora, ¿qué certinidad [73] tenéis vos de que seamos hermanos?

—Yo—dijo ella—no otra más del grande amor que te tengo, y ver que todos nos llaman hermanos.

—Y si no lo fuéramos,—dije yo—¿quisiérasme tanto?

—¿No ves—dijo ella—que a no serlo, no nos dejara mi padre andar siempre juntos y solos?

—Pues si ese bien me habían de quitar,—dije yo—más quiero el mal que tengo.

Entonces ella, encendiendo su hermoso rostro en color, me dijo:

—¿Y qué pierdes tú en que seamos hermanos?

—Pierdo a mí y a vos—dije yo.

—Yo no te entiendo,—dijo ella—mas a mí me paresce que sólo serlo nos obliga a amarnos naturalmente.

—A mí sola vuestra hermosura me obliga, que antes [74] esa hermandad paresce que me resfría algunas veces.

Y con esto bajando mis ojos de empacho de lo que le dije, vila en las aguas de la fuente al proprio [75] como ella era, de suerte que dondequiera que volvía la cabeza, hallaba su imagen, y en mis entrañas la más verdadera. Y decíame yo a mí mismo, y pesárame que alguno me lo oyera:

—Si yo me anegase ahora en esta fuente, donde veo a mi señora, ¡cuánto más desculpado [76] moriría yo que Narciso![77] Y si ella me amase como yo la amo, ¡qué dichoso sería yo! Y si la Fortuna nos permitiese vivir siempre juntos, ¡qué sabrosa vida sería la mía!

Diciendo esto, levantéme, y, volviendo las manos a unos jazmines de que la fuente estaba rodeada, mezclándolos con arrayán hice una hermosa guirnalda y, poniéndola sobre mi cabeza, me volví a ella coronado y vencido.[78] Ella puso los ojos en mí, a mi parescer, más dulcemente que solía, y, quintándomela, la puso sobre su cabeza. Paresciome en aquel punto[79] más hermosa que Venus cuando salió al juicio de la manzana;[80] y volviendo el rostro a mí, me dijo:

—¿Qué te paresce ahora de mí, Abindarráez?

Yo la dije:

—Parésceme que acabáis de vencer el mundo y que os coronan por reina y señora dél.

Levantándose, me tomó por la mano y me dijo:

—Si eso fuera, hermano, no perdiérades vos nada.

Yo, sin la responder, la seguí hasta que salimos de la huerta.

Esta engañosa vida trajimos mucho tiempo, hasta que ya el amor, por vengarse de nosotros, nos descubrió la cautela,[81] que, como fuimos creciendo en edad, ambos acabamos de entender que no éramos hermanos. Ella no sé lo que sintió al principio de saberlo, mas yo nunca mayor contentamiento recebí, aunque después acá lo he pagado bien. En el mismo punto que fuimos certificados desto, aquel amor limpio y sano que nos teníamos, se comenzó a dañar y se convirtió[82] en una rabiosa enfermedad, que nos durará hasta la muerte. Aquí no hubo primeros movimientos que escusar,[83] porque el principio destos amores fue un gusto y deleite fundado sobre bien, mas después no vino el mal por principios, sino de golpe y todo junto. Ya yo tenía mi contentamiento puesto en ella y mi alma hecha a medida de la suya. Todo lo que no vía[84] en ella me parecía feo, escusado[85] y sin provecho en el mundo. Todo mi pensamiento era en ella. Ya en este tiempo nuestros pasatiempos eran diferentes; ya yo la miraba con recelo de ser sentido; ya tenía invidia[86] del sol que la tocaba. Su

presencia me lastimaba la vida, y su ausencia me enfla-
quescía el corazón. Y de todo esto creo que no me debía
nada, porque me pagaba en la misma moneda. Quiso la
Fortuna, envidiosa de nuestra dulce vida, quitarnos este
contentamiento en la manera que oirás.

El Rey de Granada, por mejorar en cargo al alcaide de
Cártama, envióle a mandar que luego dejase aquella fuerza
y se fuese a Coín, que es aquel lugar frontero del vuestro,
y que me dejase a mí en Cártama en poder del alcaide que a
ella viniese. Sabida esta desastrada nueva por mi señora y
por mí, juzgad vos, si algún tiempo fuistes enamorado, lo
que podríamos sentir. Juntámonos en un lugar secreto a
llorar nuestro apartamiento. Yo la llamaba señora mía, alma
mía, solo bien mío, y otros dulces nombres que el amor me
enseñaba.

—Apartándose vuestra hermosura de mí, ¿ternéis [87] alguna vez memoria deste vuestro captivo?

Aquí las lágrimas y sospiros atajaban las palabras. Yo,
esforzándome para decir más, malparía algunas razones
turbadas de que no me acuerdo, porque mi señora llevó mi
memoria consigo. Pues ¡quién os contase las lástimas [88]
que ella hacía, aunque a mí siempre me parescían pocas!
Decíame mil dulces palabras, que hasta ahora me suenan
en las orejas. Y al fin, porque no nos sintiesen, despedí-
monos con muchas lágrimas y sollozos, dejando cada uno
al otro por prenda un abrazado,[89] con un sospiro arrancado
de las entrañas. Y porque ella me vio en tanta necesidad
y con señales de muerto, me dijo:

—Abindarráez, a mí se me sale el alma en apartarme
de ti; y porque siento de ti lo mismo, yo quiero ser tuya
hasta la muerte. Tuyo es mi corazón, tuya es mi vida, mi
honra y mi hacienda. Y en testimonio desto, llegada a Coín,
donde ahora voy con mi padre, en teniendo lugar de ha-
blarte, o por ausencia o indisposición suya, que ya deseo,
yo te avisaré. Irás donde yo estuviere, y allí yo te daré lo
que solamente [90] llevo conmigo debajo de nombre de esposo,
que de otra suerte ni tu lealtad ni mi ser lo consentirían,
que todo lo demás muchos días ha que es tuyo.

Con esta promesa mi corazón se sosegó algo, y beséla las manos por la merced que me prometía.

Ellos se partieron otro dia.[91] Yo quedé como quien, caminando por unas fragosas y ásperas montañas, se le eclipsa el sol. Comencé a sentir su ausencia ásperamente, buscando falsos remedios contra ella. Miraba las ventanas do se solía poner, las aguas do se bañaba, la cámara en que dormía, el jardín do reposaba la siesta. Andaba todas sus estaciones,[92] y en todas ellas hallaba representación de mi fatiga. Verdad es que la esperanza que me dio de llamarme, me sostenía, y con ella engañaba parte de mis trabajos, aunque algunas veces de verla alargar[93] tanto me causaba mayor pena, y holgara que me dejara del todo desesperado, porque la desesperación fatiga hasta que se tiene por cierta, y la esperanza hasta que se cumple el deseo.

Quiso mi ventura que esta mañana mi señora me cumplió su palabra, enviándome a llamar con una criada suya, de quien se fiaba, porque su padre era partido para Granada, llamado del Rey para volver luego. Yo, resuscitado con esta buena nueva, apercebíme[94] y, dejando venir la noche por salir más secreto, púseme en el hábito que me encontrastes, por mostrar a mi señora el alegría[95] de mi corazón. Y por cierto no creyera yo que bastaran cient[96] caballeros juntos a tenerme campo, porque traía mi señora comigo,[97] y si tú me venciste no fue por esfuerzo, que no es posible, sino porque mi corta suerte o la determinación del cielo quisieron atajarme tanto bien. Así que considera tú ahora, en el fin de mis palabras, el bien que perdí y el mal que tengo. Yo iba de Cártama a Coín, breve jornada, aunque el deseo la alargaba mucho, el más ufano Abencerraje que nunca se vio. Iba a llamado de mi señora, a ver a mi señora, a gozar de mi señora y a casarme con mi señora. Véome ahora herido, captivo y vencido; y lo que más siento, que el término y coyuntura de mi bien se acaba esta noche. Déjame, pues, cristiano, consolar[98] entre mis sospiros, y no los juzgues a flaqueza, pues lo fuera muy mayor tener ánimo para sufrir tan rigoroso lance.

Rodrigo de Narváez quedó espantado y apiadado del

estraño acontescimiento del moro, y, paresciéndole que para su negocio ninguna cosa le podría dañar más que la dilación, le dijo:

—Abindarráez, quiero que veas que puede más mi virtud que tu ruin Fortuna. Si tú me prometes como caballero de volver a mi prisión dentro del tercero día, yo te daré libertad para que sigas tu camino, porque me pesaría de atajarte tan buena empresa.

El moro, cuando lo oyó, se quiso de contento echar a sus pies, y le dijo:

—Rodrigo de Narváez, si vos eso hacéis, habréis hecho la mayor gentileza de corazón que nunca hombre hizo, y a mí me daréis la vida. Y para lo que pedís, tomad de mí la seguridad que quisiéredes, que yo lo cumpliré.

El alcaide llamó a sus escuderos y les dijo:

—Señores, fiad de mí este prisionero, que yo salgo fiador de su rescate.

Ellos dijeron que ordenase a su voluntad. Y tomando la mano derecha entre las dos suyas al moro, le dijo:

—¿Vos prometéisme como caballero de volver a mi castillo de Alora a ser mi prisionero dentro de tercero día?

El le dijo:

—Sí prometo.

—Pues id con la buena ventura, y si para vuestro negocio tenéis necesidad de mi persona o de otra cosa alguna, también se hará.

Y diciendo que se lo agradescía, se fue camino de Coín a mucha priesa. Rodrigo de Narváez y sus escuderos se volvieron a Alora hablando en la valentía y buena manera de el [99] moro.

Y con la priesa que el Abencerraje llevaba, no tardó mucho en llegar a Coín. Yéndose derecho a la fortaleza, como le era mandado, no paró hasta que halló una puerta que en ella había; y deteniéndose allí, comenzó a reconoscer el campo por ver si había algo de que guardarse; y viendo que estaba todo seguro, tocó en ella con el cuento de la lanza, que ésta era la señal que le había dado la dueña. Luego ella mismo le abrió y le dijo:

—¿En qué os habéis detenido, señor mío? Que vuestra tardanza nos ha puesto en gran confusión. Mi señora ha rato que os espera. Apeaos y subiréis donde está.

El se apeó y puso su caballo en un lugar secreto que allí halló. Y dejando lanza con su darga y cimitarra, llevándole la dueña por la mano lo más paso [100] que pudo, por no ser sentido de la gente del castillo, subió por una escalera hasta llegar al aposento de la hermosa Jarifa, que así se llamaba la dama. Ella, que ya había sentido su venida, con los brazos abiertos le salió a rescebir. Ambros se abrazaron, sin hablarse palabra, del sobrado contentamiento. Y la dama le dijo:

—¿En qué os habéis detenido, señor mío? Que vuestra tardanza me ha puesto en gran congoja y sobresalto.

—Mi señora,—dijo él—vos sabéis bien que por mi negligencia no habrá sido, mas no siempre suceden las cosas como los hombres desean.

Ella le tomó por la mano y le metió en una cámara secreta. Y sentándose sobre una cama que en ella había, le dijo:

—He querido, Abindarráez, que veáis en qué manera cumplen las captivas de amor sus palabras, porque desde el día que os la di por prenda de mi corazón, he buscado aparejos para quitárosla. Yo os mandé venir a este mi castillo a ser mi prisionero, como yo lo soy vuestra, y haceros señor de mi persona y de la hacienda de mi padre debajo de nombre de esposo; aunque esto, según entiendo, será muy contra su voluntad, que como no tiene tanto conocimiento de vuestro valor y experiencia de vuestra virtud como yo, quisiera darme marido más rico; mas yo vuestra persona y mi contentamiento tengo por la mayor riqueza del mundo.

Y diciendo esto, bajó la cabeza, mostrando un cierto empacho de haberse descubierto tanto. El moro la tomó entre sus brazos y, besándola muchas veces las manos por la merced que le hacía, la dijo:

—Señora mía, en pago de tanto bien como me habéis ofrescido, no tengo que daros que no sea vuestro, sino

sola esta prenda [101] en señal que os rescibo por mi señora
y esposa.

Y llamando a la dueña, se desposaron.[102] Y siendo des-
posados, se acostaron en su cama, donde con la nueva experiencia encendieron más el fuego de sus corazones. En
esta conquista pasaron muy amorosas obras y palabras,
que son más para contemplación que para escriptura.[103]

Tras esto, al moro vino un profundo pensamiento y,
dejándo llevarse dél, dio un gran sospiro. La dama, no
pudiendo sufrir tan grande ofensa de su hermosura y voluntad, con gran fuerza de amor le volvió a sí y le dijo:

—¿Qués [104] esto, Abindarráez? Paresce que te has en-
tristecido con mi alegría. Yo te oyo [105] sospirar, revolviendo
el cuerpo a todas partes. Pues si yo soy todo tu bien y contentamiento, como me decías, ¿por quién sospiras? Y si
no lo soy, ¿por qué me engañaste? Si has hallado alguna
falta en mi persona, pon los ojos en mi voluntad, que basta
para encubrir muchas. Y si sirves otra dama, dime quién
es para que la sirva yo. Y si tienes otro dolor secreto de
que yo no soy ofendida, dímelo, que o yo moriré o te
libraré dél.

El Abencerraje, corrido [106] de lo que había hecho, y paresciéndole que no declararse era ocasión de gran sospecha,
con un apasionado sospiro la dijo:

—Señora mía, si yo no os quisiera más que a mí, no hubiera hecho este sentimiento; porque el pesar que conmigo
traía, sufríale con buen ánimo cuando iba por mí solo;
mas ahora que me obliga a apartarme de vos, no tengo
fuerzas para sufrirle, y así entenderéis que mis sospiros se
causan más de sobra de lealtad que de falta della. Y porque
no estéis más suspensa sin saber de qué, quiero deciros lo
que pasa.

Luego le contó todo lo que había sucedido, y al cabo
la dijo:

—De suerte, señora, que vuestro captivo lo es también
del alcaide de Alora. Yo no siento la pena de la prisión,
que vos enseñastes mi corazón a sufrir, mas vivir sin vos
tendría por la misma muerte.

La dama con buen semblante le dijo:

—No te congojes, Abindarráez, que yo tomo el remedio de tu rescate a mi cargo, porque a mí me cumple[107] más. Yo digo así: que cualquier caballero que diere la palabra de volver a la prisión, cumplirá con enviar el rescate que se le puede pedir; y para esto, ponedle vos mismo el nombre[108] que quisierdes,[109] que yo tengo las llaves de las riquezas de mi padre. Yo os las porné[110] en vuestro poder; enviad de todo ello lo que os paresciere. Rodrigo de Narváez es buen caballero y os dio una vez libertad, y le fiastes este negocio, que le obliga ahora a usar de mayor virtud. Yo creo que se contentará con esto, pues teniéndoos en su poder ha de hacer lo mismo.

El Abencerraje la respondió:

—Bien parece, señora mía, que lo mucho que me queréis no os[111] deja que me aconsejéis bien. Por cierto no cairé[112] yo en tan gran yerro, porque si cuando venía a verme con vos, que iba por mí solo, estaba obligado a cumplir mi palabra, ahora que soy vuestro se me ha doblado la obligación. Yo volveré a Alora y me porné en las manos del alcaide della, y, tras hacer lo que yo debo, haga él lo que quisiere.

—Pues nunca Dios quiera—dijo Jarifa—que yendo vos a ser preso, quede yo libre, pues no lo soy. Yo quiero acompañaros en esta jornada, que ni el amor que os tengo ni el miedo que he cobrado a mi padre de haberle ofendido, me consentirán hacer otra cosa.

El moro, llorando de contentamiento, la abrazó y le dijo:

—Siempre vais, señora mía, acrescentándome las mercedes. Hágase lo que vos quisierdes, que así lo quiero yo.

Y con este acuerdo, aparejando lo necesario, otro día[113] de mañana se partieron, llevando la dama el rostro cubierto por no ser conoscida.

Pues yendo por su camino adelante, hablando en diversas cosas, toparon un hombre viejo. La dama le preguntó dónde iba. El la dijo:

—Voy a Alora a negocios que tengo con el alcaide della, que es el más honrado y virtuoso caballero que yo jamás vi. Jarifa se holgó mucho de oir esto, paresciéndole que pues todos hallaban tanta virtud en este caballero, que también la hallarían ellos, que tan necesitados estaban della. Y volviendo al caminante, le dijo:

—Decid, hermano: ¿sabéis vos de ese caballero alguna cosa que haya hecho notable?

—Muchas sé—dijo él—, mas contaros he una, por donde entenderéis todas las demás. Este caballero fue primero alcaide de Antequera, y allí anduvo mucho tiempo enamorado de una dama muy hermosa, en cuyo servicio hizo mil gentilezas, que son largas de contar. Y aunque ella conoscía el valor deste caballero, amaba a su marido tanto que hacía poco caso dél. Acontesció así, que un día de verano, acabando de cenar, ella y su marido se bajaron a una huerta que tenía dentro de su casa; y él llevaba un gavilán en la mano, y, lanzándole a unos pájaros, ellos huyeron y fuéronse a socorrer[114] a una zarza; y el gavilán, como astuto, tirando el cuerpo afuera, metió la mano y sacó y mató muchos dellos. El caballero le cebó; y volvió a la dama, y la dijo:

—¿Qué os paresce, señora, del astucia[115] con que el gavilán encerró los pájaros y los mató? Pues hágoos saber que cuando el alcaide de Alora escaramuza con los moros, así los sigue y así los mata.

Ella, fingiendo no le conoscer, le preguntó quién era.

—Es el más valiente y virtuoso caballero que yo hasta hoy vi.

Y comenzó a hablar dél muy altamente, tanto que a la dama le vino un cierto arrepentimiento, y dijo:

—Pues ¡cómo! Los hombres están enamorados de este caballero, ¡y que no lo esté yo de él, estándolo él de mí! Por cierto, yo estaré bien disculpada de lo que por él hiciere, pues mi marido me ha informado de su derecho.

Otro día adelante se ofresció que el marido fue fuera de la ciudad y, no pudiendo la dama sufrirse en sí, envióle a llamar con una criada suya. Rodrigo de Narváez estuvo en poco de tornarse loco de placer, aunque no dio crédito a ello, acordándosele de la aspereza que siempre le había mostrado. Mas con todo eso, a la hora concertada muy a recado[116] fue a ver la dama, que le estaba esperando en un lugar secreto, y allí ella echó de ver el yerro que había hecho y la vergüenza que pasaba en requerir aquel de quien tanto tiempo había sido requerida. Pensaba también en la fama, que descubre todas las cosas; temía la inconstancia de los hombres y la ofensa del marido; y todos estos inconvenientes, como suelen, aprovecharon de vencerla más y, pasando por todos ellos, le rescibió dulcemente y le metió en su cámara, donde pasaron muy dulces palabras, y en fin dellas le dijo:

—Señor Rodrigo de Narváez, yo soy vuestra de aquí adelante, sin que en mi poder quede cosa que no lo sea. Y esto no lo agradezcáis a mí, que todas vuestras pasiones y diligencias falsas o verdaderas os aprovecharan poco conmigo; mas agradesceldo a mi marido, que tales cosas me dijo de vos que me han puesto en el estado que ahora estoy. Tras esto le contó cuanto con su marido había pasado, y al cabo le dijo:

—Y cierto, señor, vos debéis a mi marido más que él a vos.

Pudieron tanto esta palabras con Rodrigo de Narváez que le causaron confusión y arrepentimiento del mal que hacía a quien dél decía tantos bienes, y apartándose afuera dijo:

—Por cierto, señora, yo os quiero mucho y os querré de aquí adelante, mas nunca Dios quiera que a hombre que tan aficionadamente ha hablado en mí, haga yo tan cruel daño. Antes, de hoy más[117] he de procurar la honra de vuestro marido como la mía propria, pues en ninguna cosa le puedo pagar mejor el bien que de mí dijo.

Y sin aguardar más, se volvió por donde había venido. La dama debió de quedar burlada; y cierto, señores, el caballero a mi parecer usó de gran virtud y valentía, pues venció su misma voluntad.

El Abencerraje y su dama quedaron admirados del cuento, y, alabándole mucho, él dijo que nunca mayor virtud había visto de hombre. Ella respondió:

—Por Dios, señor, yo no quisiera servidor tan virtuoso. Mas él debía estar poco enamorado, pues tan presto se salió afuera, y pudo más con él la honra del marido que la hermosura de la mujer.

Y sobre esto dijo otras muy graciosas palabras.

Luego llegaron a la fortaleza y, llamando a la puerta, fue abierta por las guardas,[118] que ya tenían noticia de lo pasado. Y yendo un hombre corriendo a llamar al alcaide, le dijo:

—Señor, en el castillo está el moro que venciste, y trae consigo una gentil dama.

Al alcaide le dio el corazón lo que podía ser, y bajó abajo. El Abencerraje, tomando su esposa de la mano, se fue a él y le dijo:

—Rodrigo de Narváez, mira si te cumplo bien mi palabra, pues te prometí de traer un preso y te trayo[119] dos, que el uno basta para vencer otros muchos. Ves aquí mi señora; juzga si he padescido con justa causa. Rescíbenos por tuyos, que yo fío mi señora y mi honra de ti.

Rodrigo de Narváez holgó mucho de verlos, y dijo a la dama:

—Yo no sé cuál de vosotros debe más al otro, mas yo debo mucho a los dos. Entrad y reposaréis en esta vuestra casa; y tenelda de aquí adelante por tal, pues lo es su dueño.

Y con esto se fueron a un aposento que les estaba aparejado, y de ahí a poco comieron, porque venían cansados del camino. Y el alcaide le preguntó al Abencerraje:

—Señor, ¿qué tal venís de las heridas?

—Parésceme, señor, que con el camino las trayo enconadas y con algún dolor.

La hermosa Jarifa, muy alterada, dijo:

—¿Qué es esto, señor? ¿Heridas tenéis vos de que yo no sepa?

—Señora, quien escapó de las vuestras en poco terná otras. Verdad es que de la escaramuza de la otra noche saqué dos pequeñas heridas, y el camino y no haberme curado me habrán hecho algún daño.

—Bien será,—dijo el alcaide—que os acostéis, y verná[120] un zurujano[121] que hay en el castillo.

Luego la hermosa Jarifa le comenzó a desnudar con grande

alteración; y viniendo el maestro y viéndole, dijo que no era nada, y con un ungüento que le puso le quitó el dolor. Y de ahí a tres días estuvo sano.

Un día acaesció que, acabando de comer el Abencerraje, dijo estas palabras:

—Rodrigo de Narváez, según eres discreto, en la manera de nuestra venida entenderás lo demás. Yo tengo esperanza que este negocio, que está tan dañado, se ha de remediar por tus manos. Esta dueña es la hermosa Jarifa, de quien te hube dicho es mi señora y mi esposa. No quiso quedar en Coín de miedo de haber ofendido a su padre; todavía se teme deste caso.[122] Bien sé que por tu virtud te ama el Rey, aunque eres cristiano. Suplícote alcances dél que nos perdone su padre por haber hecho esto sin que él lo supiese, pues la Fortuna lo trajo por este camino.

El alcaide les dijo:

—Consolaos, que yo os prometo de hacer en ello cuanto pudiere.

Y tomando tinta y papel, escribió una carta al Rey, que decía así:

Carta de Rodrigo de Narváez, alcaide de Alora, para el Rey de Granada

Muy alto y muy poderoso Rey de Granada: Rodrigo de Narváez, alcaide de Alora, tu servidor, beso tus reales manos y digo así: que el Abencerraje, Abindarráez el mozo, que nasció en Granada y se crió en Cártama en poder de el alcaide della, se enamoró de la hermosa Jarifa su hija. Después tú, por hacer merced al alcaide, le pasaste a Coín. Los enamorados, por asegurarse, se desposaron entre sí. Y llamado él, por ausencia del padre, que contigo tienes, yendo a su fortaleza, yo le encontré en el camino; y en cierta escaramuza que con él tuve, en que se mostró muy valiente, le gané por mi prisionero. Y contándome su caso,[123] apiadándome dél, le hice libre por dos días.

El se fue a ver con su esposa, de suerte que en la jornada perdió la libertad y ganó el amiga. Viendo ella que el Abencerraje volvía a mi prisión, se vino con él, y así están ahora los dos en mi poder.

Suplícote que no te ofenda el nombre de Abencerraje, que yo sé que éste y su padre fueron sin culpa en la conjuración que contra tu real persona se hizo; y en testimonio dello viven. Suplico a tu real Alteza que el remedio destos tristes [124] se reparta entre ti y mí. Yo les perdonaré el rescate y les soltaré graciosamente; sólo harás tú que el padre della los perdone y resciba en su gracia. Y en esto cumplirás con tu grandeza, y harás lo que de ella siempre esperé.

Escripta la carta, despachó un escudero con ella, que, llegado ante el Rey, se la dio; el cual, sabiendo cúya era, se holgó mucho, que a este solo cristiano amaba, por su virtud y buenas maneras. Y como la leyó, volvió el rostro al alcaide de Coín, que allí estaba, y llamándole aparte le dijo:

—Lee esta carta, que es del alcaide de Alora.

Y leyéndola, rescibió grande alteración. El Rey le dijo:

—No te congojes, aunque tengas por qué. Sábete que ninguna cosa me pedirá el alcaide de Alora que yo no lo haga. Y así te mando que vayas luego a Alora y te veas con él, y perdones tus hijos y los lleves a tu casa; y en pago deste servicio, a ellos y a ti haré siempre merced.

El moro lo sintió en el alma, mas viendo que no podía pasar el mandamiento de el Rey, volvió de buen continente y dijo que así lo haría, como Su Alteza lo mandaba.

Y luego se partió a Alora, donde ya sabían del escudero todo lo que había pasado, y fue de todos rescebido con mucho regocijo y alegría. El Abencerraje y su hija parescieron ante él con harta vergüenza y le besaron las manos. El los rescibió muy bien y les dijo:

—No se trate aquí de cosa pasada. Yo os perdono haberos casado sin mi voluntad, que en lo demás vos, hija, escogistes mejor marido que yo os pudiera dar.

El alcaide todos aquellos días les hacía muchas fiestas. Y una noche, acabando de cenar en un jardín, les dijo:

—Yo tengo en tanto haber sido parte[125] para que este negocio haya venido a tan buen estado que ninguna cosa me pudiera hacer más contento. Y así digo que sola la honra de haberos tenido por mis prisioneros quiero por rescate de la prisión. De hoy más, vos, señor Abindarráez, sois libre de mí para hacer de vos lo que quisierdes.

Ellos le besaron las manos por la merced y bien que les hacía. Y otro día por la mañana partieron de la fortaleza, acompañándolos el alcaide parte del camino.

Estando ya en Coín, gozando sosegada y seguramente el bien que tanto habían deseado, el padre les dijo:

—Hijos, ahora que con mi voluntad sois señores de mi hacienda, es justo que mostréis el[126] agradescimiento que a Rodrigo de Narváez se debe por la buena obra que os hizo; que no por haber usado con vosotros de tanta gentileza ha de perder su rescate, antes le meresce muy mayor. Yo os quiero dar seis mil doblas zahenes;[127] enviádselas, y teneldo de aquí adelante por amigo, aunque las leyes sean diferentes.

Abindarráez le besó las manos. Y tomándolas, con cuatro muy hermosos caballos y cuatro lanzas con los hierros y cuentos de oro, y otras cuatro dargas, las envió al alcaide de Alora; y le escribió así:

Carta del Abencerraje Abindarráez al alcaide de Alora

Si piensas, Rodrigo de Narváez, que con darme libertad en tu castillo para venirme al mío, me dejaste libre, engáñaste, que cuando libertaste mi cuerpo, prendiste mi corazón. Las buenas obras prisiones son de los nobles corazones. Y si tú, por alcanzar honra y fama, acostumbras hacer bien a los que podrías destruir, yo, por parescer a aquellos donde vengo, y no degenerar de la alta sangre de los Abencerrajes, antes coger y meter en mis venas toda la que dellos se vertió, estoy obligado a agradescerlo y servirlo. Rescibirás de ese breve presente la voluntad de quien le envía, que es muy grande, y de mi Jarifa otra tan limpia y leal que me contento yo de ella.

El alcaide tuvo en mucho la grandeza y curiosidad del presente. Y rescibiendo dél los caballos y lanzas y dargas, escribió a Jarifa así:

Carta de el Alcaide de Alora a la hermosa Jarifa

Hermosa Jarifa: no ha querido Abindarráez dejarme gozar de el verdadero triunfo de su prisión, que consiste en perdonar y hacer bien. Y como a mí en esta tierra nunca se me ofresció empresa tan generosa ni tan digna de capitán español, quisiera gozarla toda y labrar della una estatua para mi posteridad y descendencia. Los caballos y armas rescibo yo para ayudarle a defender de sus enemigos. Y si en enviarme el oro se mostró caballero generoso, en rescebirlo yo paresciera cobdicioso [128] mercader. Yo os sirvo con ello en pago de la merced que me hecistes [129] en serviros de mí en mi castillo. Y también, señora, yo no acostumbro robar damas, sino servirlas y honrarlas.

Y con esto les volvió a enviar las doblas. Jarifa las rescibió y dijo:

—Quien pensare vencer a Rodrigo de Narváez de armas y cortesía, pensará mal.

De esta manera quedaron los unos de los otros muy satisfechos y contentos, y trabados con tan estrecha amistad que les duró toda la vida.

Notes

The following is intended to be of assistance both to the beginner and to the advanced student of Spanish literature. In order to distinguish between the two as much as is practically possible, the more advanced material *has been placed in brackets*.

The editor of a classic like *Lazarillo de Tormes* is unavoidably indebted to his predecessors. I have learned particularly from A. Bonilla y San Martín (Madrid, 1915), E. W. Hesse and H. F. Williams (Madison, Wisc., 1948), J. Cejador y Frauca (Madrid, 1952), A. González Palencia (Zaragoza, 1953), A. Cavaliere (Naples, 1955), M. Bataillon (Paris, 1958) and R. O. Jones (Manchester, 1963). Their contributions are mentioned sometimes in the notes.

I have depended also on the English translations of L. How (New York, 1917) and H. de Onís (Great Neck, N.Y., 1959). Whenever possible I have quoted from the first of English translations, *The Pleasant Historie of Lazarillo de Tormes*, by David Rowland of Anglesey (1586) (reprinted by J. E. V. Crofts, Oxford, 1929).

The use, for purposes of reference, of other texts from the sixteenth and seventeenth centuries has been stressed throughout these notes. The reader will find, for example, a number of the emendations in the text of the *Lazarillo* which were introduced by Juan de Luna in his *Vida de Lazarillo de Tormes* (Paris: R. Boutonné, 1620).

131

The following abbreviations have been used in referring to scholarly reviews:

Anal. Cerv.: Anales Cervantinos.
BRAE: Boletín de la Real Academia Española.
Bull. Hisp.: Bulletin Hispanique.
HR: Hispanic Review.
MLN: Modern Language Notes.
NRFH: Nueva Revista de Filología Hispánica.
RABM: Revista de Archivos, Bibliotecas y Museos.
RF: Romanische Forschungen.
RFE: Revista de Filología Española.
RH: Revue Hispanique.
Rom. Phil.: Romance Philology.

And in reference to books:

Alex.: *Libro de Alexandre*, Ed. R. S. Willis, Princeton: 1943.
A Pal.: *"Universal Vocabulario" de Alfonso de Palencia* [1490]. Ed. J. M. Hill Madrid: 1957.
Amad: *Amadís de Gaula*. Ed. E. B. Place. Madrid: 1959.
Autors. *Diccionario de la lengua castellana ... de Autoridades*. Madrid: Real Academia Española, 1726–39.
Celest.: Fernando de Rojas. *La Celestina*. Madrid: "Clásicos Castellanos," 1913.
Corom.: Juan Corominas. *Diccionario crítico etimológico de la lengua castellana*. Madrid: 1954.
Cort.: *Cortes de ... León y de Castilla*. Madrid: Real Academia de la Historia, 1861–1903.
Cortes.: Baldesar Castiglione. *Los cuatro libros del Cortesano*. Tr. J. Boscán. Madrid: 1873.
Covarr.: Sebastián de Covarrubias, *Tesoro de la lengua castellana o española* [1611]. Ed. M. de Riquer. Barcelona: 1943.

Fern.: Lucas Fernández. *Farsas y églogas*. Madrid: 1867.

Gill.: *Propalladia and Other Works by Bartolomé Torres Naharro*. Ed. J. E. Gillet, Bryn Mawr: 1943–61.

Guev.: Fray Antonio de Guevara. *Menosprecio de corte y alabanza de aldea*. Madrid: "Clásicos Castellanos," 1915.

Horoz.: E. Cotarelo. "Refranes glosados de Sebastián de Horozco," *Revista de Archivos, Bibliotecas y Museos*, II (1915), pp. 646–706; III (1916), pp. 98–132, 399–428, 591–604, 710–721.

Joseph.: Micael de Carvajal. *Tragedia Josephina*. Ed. J. E. Gillet. Princeton: 1932.

Kenist.: Hayward Keniston. *The Syntax of Castilian Prose. The Sixteenth Century*. Chicago: 1937.

Lamano: José de Lamano y Beneite. *El dialecto vulgar salmantino*. Salamanca: 1915.

Lis.: Sancho de Muñón. *La Tercera Celestina (Tragicomedia de Lisandro y Roselia)* [1542]. Madrid: 1933.

Loz.: Francisco Delicado. *La Loçana Andaluza*. Ed. A. Vilanova. Barcelona: 1952.

Márq.: Francisco Márquez Villanueva. "Sebastián de Horozco y el 'Lazarillo de Tormes'," *Revista de Filología Española*, XLI (1957), pp. 253–339.

Núñ.: *Refranes o proverbios en romance, que nuevamente colligió y glossó el comendador Hernán Núñez*. Salamanca: 1555.

O'Kane: Eleanor S. O'Kane. *Refranes y frases proverbiales españolas de la Edad Media*. Madrid: 1959.

Oudin: *Le Trésor des deux langues espagnolle et françoise de César Oudin*. Paris: 1660.

Perc.: Richard Percivale & John Minsheu. *A Dictionarie in Spanish and English* ... . London: 1599.

Quijote: Miguel de Cervantes. *El ingenioso hidalgo*

don Quijote de la Mancha. Madrid: "Clásicos Castellanos," 1911–13.

Santill.: Marqués de Santillana. "Refranes que dizen las viejas tras el fuego," Ed. U. Cronan, *Revue Hispanique,* XXV (1911), pp. 134–219.

Seraph.: *Comedia ... llamada Seraphina* [1521]. Madrid: 1874.

Ter.: Santa Teresa de Jesús. *Libro de las Fundaciones.* Madrid: "Clásicos Castellanos," 1950.

Vald.: Juan de Valdés. *Diálogo de la lengua.* Madrid: "Clásicos Castellanos," 1928.

Vall.: Pedro Vallés. *Libro de refranes ...* Zaragoza: 1549.

Lazarillo de Tormes

1. [A rhetorical device called "I bring things never said before" by E. R. Curtius, *European Literature and the Latin Middle Ages* (N. Y., 1953), pp. 85–89: Horace promised "Carmina non prius audita"—*Carm.*, III, 1, 2 —Ariosto "cosa non detta in prosa mai, nè in rima"— *Orl.*, I, 10—etc.]

2. *no hay libro ... buena:* from Pliny the Younger, *Epist.*, III, 5: "dicere solebat nullum esse librum tam malum, ut non aliqua parte prodesset." [A common quotation; see A. de Villegas, *Comedia Selvagia* (1554) (Madrid, 1873), p. 1; Alejo Vanegas, *Primera parte de las diferencias de libros* (Toledo, 1540), p 5r.]

3. *por ello:* "another longeth after it" [*Perc.*, II, 80].

4. *Y esto ... debría: Y esto* refers to the previous sentences; Juan de Luna (1620) corrects: "Y por esto ninguna cosa se debría romper ...."; *debría: debería.* [The apocopated forms *debría, debré,* were the most common during the Siglo de Oro; see *Corom.*, II, p. 112.]

5. *trabajo:* "effort," "hard work." [*Perc.*, p. 233: "travail."]

6. *pasan:* "bear," "endure." [*Celest.*, I, p. 244: "mira si es mucho pasar algo en este mundo por gozar de la gloria del otro"; H. Victor, *Tesoro de las tres lenguas,* (Geneva, 1609), n.p.: "pasar trabajos: souffrir des travaux et peines"; see *Guev.*, p. 61.]

7. *la honra ... artes:* from Cicero, *Tuscul.*, 1, 4: "Honos alit artes, omnesque incendentur ad studia gloria . . ." [F. Cervantes de Salazar in his sequel to the *Discurso de la dignidad del hombre,* in *Obras* (Alcalá de Henares, 1546), p. 23: "dijo Cicerón, la honra sustenta las artes."]

8. *quel: que el* [as in the Burgos edition]. [See *Kenist.*, p. 741.]

9. *presentado:* a student friar or monk about to be graduated. [See *Covarr.*, p. 881; *Perc.*, p. 195.]

10. *sayete de armas:* doublet or tunic worn under or over the knight's armor.

11. *nonada:* "trifle" [the Burgos and Alcalá reading; Antwerp: *nouada*]; the attitude of affected modesty was a basic device of the prologue and the exordium [corresponding to the Latin *nugae;* see Catullus, I, 4; E. R. Cutius, *op. cit.,* pp. 83–85]. [See *Ter.,* II, p. 230.]

12. *fortunas ... adversidades:* "blows of fortune," "misfortunes"; the title of the book is like a summary of these words. [*Cortes.,* p. 488: "con las fortunas y adversidades que pasan, escarmientan al cabo y cobran seso"; *Joseph.,* p. 48: "... tanta fortuna y dolor"; see *Gill.,* III, p. 192. Still used for *desgracia* in Judeo-Spanish; see M. L. Wagner, *RFE,* 1923, p. 232.]

13. *Suplico ... reciba: que* was and is often omitted after verbs expressing request, as in the following sentence: *escribe ... escriba.*

14. *el caso:* "the matter" [Rowland, 1586 translation], as in legal language, "the facts of the case." [See *Covarr.,* p. 316. There may also be the added meaning of *caso de fortuna,* story showing the power of Fortune; see J. de Montemayor, *Diana,* Cl. Cast., p. 36]

15. *por el medio:* Horace, *Epist. ad Pisones* 149, commended the writer who brings the reader quickly to the middle of his subject, *in medias res.*

16. *cúyo hijo fue:* "whose son he was." [The use of *cúyo* as an interrogative pronoun was common until the end of the eighteenth century; see R. J. Cuervo, *Diccionario de construcción y régimen ...* (Paris, 1866–93), II, p. 715.]

17. The name "Lázaro" was associated traditionally with the following areas of meaning: (1) Lazarus (Hebrew *El'azar)* the beggar of the parable, who lay suffering at the rich man's gate, Luke 16:19–25. (2) Lazarus of Bethany, who was brought back to life by Jesus, John 11:1–44. (3) The word-group *laz(d)rar, lazerar, laz(d)rado, lazerado, lazeria, lazerio,* indicating suffering, also poverty and avarice [from Latin *lacerare;* see Y.

Malkiel, *NRFH*, 1952, pp. 209–276]. (4) Those who contract the *mal de San Lázaro*, skin disease or leprosy, and are treated in *hospitales de San Lázaro* (related to the later "lazarets"). (5) A possible folkloric figure, Lazarillo, as in *Lozana andaluza* (1528), XXXV: "... que yo no soy Lazarillo, el que cabalgó a su abuela ..."—apparently a proverbial simpleton. As for *de Tormes:* in romances of chivalry the last part of a knight's *nom de guerre* was derived from his birthplace: Amadís de Gaula, Doncel del Mar, Lanzarote del Lago, etc.

18. *Tejares:* a hamlet just SW of Salamanca, on the river Tormes.

19. *aceña:* a flour mill, in the middle of the river. [From the Arabic *sâniya;* see Tailhan, *Romania* (1886), p. 295; *Perc.*, p. 5: "water mill."]

20. *sangrías:* a common metaphor; see *Covarr.*, p. 925: "en los molinos, sangrar los costales, romperlos por bajo para sacarles el trigo o harina."

21. *y no negó:* John 1:20: "Y confesó, y no negó; mas declaró: No soy yo el Cristo."

22. *justicia:* both "righteousness" and "the authorities," a pun based on Matt. 5:10: "Bienaventurados los que padecen persecución por causa de la justicia, porque de ellos es el reino de los cielos." [See *Celest.*, I, p. 244.]

23. Anacoluthon, or lack of grammatical sequence: *los cuales* refers back to the members of the *armada* ("fleet," "naval expedition"), not to *moros,* or Tomé González would have been one. [Millers and *acemileros* were often of Moorish origin; muleteering, particularly, was one of their favorite professions; see H. Lapeyre, *Géographie de l'Espagne morisque* (Paris, 1959), p. 132; *acémila* and *recua* are Arabisms.]

24. *arrimarse ... dellos:* a common proverb; Santill., nº 60: "Allégate a los buenos, y serás uno dellos." [See also *Vall.*, p. 3r; *Núñ.*, p. 8r; *O'Kane*, p. 65.]

25. *Comendador de la Magdalena:* a knight of the military-religious order of Alcántara, which enjoyed the income

of various estates; one of these was the parish of Santa María Magdalena in Salamanca.

26. *moreno:* for *negro* [one of the euphemisms listed by Quevedo in *El mundo por de dentro,* in *Sueños,* Cl. Cast., III, p. 23: "Amistad llaman al amancebamiento, trato a la usura, ... al negro moreno ..."; see C. de Castillejo, *Obras,* Cl. Cast., I, p. 168; Juan de Luna (1620) corrects: "un negro."]

27. *curaban: cuidaban,* "cared for." [See Cuervo, *op. cit.,* II, pp. 699–703.]

28. *pesábame con él:* "I was right sorry to see him" [Rowland]; J. de Luna corrects: "pesábame dello."

29. *de que* (or *desque*): *desde que.*

30. *posada:* "lodging"; *conversación:* "relations," "intercourse." [See *Celest.,* II, p. 197; *Perc.,* p. 77: "society, company"; Cervantes, *Rinc. y Cort.,* in *Obras* (Madrid: Aguilar, 1956), p. 839: "Ni tenemos conversación con mujer que se llame María el día del sábado."]

31. *brincaba: hacía brincar; brincar:* "dar saltos para lo alto" [*Covarr.,* p. 236; see *Corom.,* I, p. 520].

32. *trebejando: jugueteando* [From *trebejo,* "toy," "game." An antiquated verb already in the sixteenth century; see *Corom.,* IV, p. 557.]

33. *vía: veía.* Later we find *veen* for *ven.* [In the sixteenth century, practice vacillated between *ver* and *veer*— from *videre*—and forms derived from one or the other; see Cirot, *RF* (1907), pp. 895–6; Menéndez Pidal, *Manual de Gram. Hist.,* (3rd edition), 31.2.]

34. *coco:* "bogeyman." [*Covarr.,* p. 330: "En lenguaje de los niños vale figura que causa espanto, y ninguna tanto como las que están a lo oscuro o muestran color negro"; *Perc.,* p. 68: "bugbear."]

35. *Hideputa:* The term was loosely used, even in praise; *Quijote,* Cl. Cast., V, p. 244: "Conozco que no es deshonra llamar hijo de puta a nadie."

36. *... mismos:* a proverbial idea; *Santill.,* nº 293: "El corcovado no ve su corcova, sino el ajena."

37. *Zaide:* a frequent name from the Arabic ("Lord") that

appears in many *romances moriscos*. Lázaro's stepfather was a *morisco* slave, a "blackamoor."

38. *hacía perdidas: hacía que estaban perdidas,* "pretended they were lost"—the bran, wood, currycombs, saddle pads, blankets and covers for the horses.

39. *acudía: socorría, asistía.* [See *Autors.,* I, p. 73.]

40. *ayuda de otro tanto:* "for the aid of such another"— perhaps another friar; the sense is not clear.

41. *probósele:* "was proved on him" (by investigation or trial).

42. *pringaron:* "basted," "larded." A marginal note in Rowland's translation (1586) explains: "There is an order in that country when any Moor doth commit any heinous offence, to strip him naked and, being bound with his hands and his knees together, to baste him with hot drops of burning lard." [See *Covarr.,* p. 883; M. Herrero García, *RFE* (1925), pp. 36–42; R. R. La Du, *Hispania* (1960), pp. 243–4.]

43. *sobre ... centenario:* "in addition to the usual hundred (lashes)."

44. *echar ... caldero:* a proverb: "Throw the rope after the bucket." [See *Núñ.,* p. 38r; *Seraph.,* p. 35; *O'Kane,* p. 214.]

45. *se esforzó:* "gathered her spirits," "gritted her teeth" [H. de Onís]. [A reflexive use of the verb; *Autors.,* II, p. 582: "dar vigor, ánimo y esfuerzo a alguna cosa, alentar, animar.]

46. ["El Mesón de la Solana estaba donde está hoy la casa del Ayuntamiento que tiene orientación meridional. En esa calle estaba una de las famosas tabernillas."— González Palencia.]

47. *adestralle:* "guide him." [*Covarr.,* p. 43: "Guiar a alguno, llevándole de la diestra, o porque es ciego o porque va por lugar oscuro que él no ha andado. ... Vale, en otra significación, advertir, aconsejar, enseñar al que va en algún negocio a tiento como ciego." The blindman "me adestró," Lázaro will say later, playing on both meanings.] The assimilation of the final *r* of

the infinitive to the enclitic pronoun was general in the sixteenth century.

48. ˉ*la de los Gelves: la batalla de los Gelves:* Spanish for "Djerba," an island off the coast of Tunis. An expedition had been sent in 1510 under don García de Toledo, who was defeated and killed, and again in 1520 under don Hugo de Moncada, who conquered the island temporarily. The context seems to point to the defeat of 1510, or, in general, to the costly battles for Djerba. [See M. Bataillon, Intro. to *La vie de L. de T.* (Paris, 1958), p. 17.]

49. *Como:* apparently a temporal clause; Rowland translates: "After we had remained certain days at Salamanca . . ." [See *Kenist.,* p. 614.]

50. *Válete por ti:* "Provide for yourself" [Rowland]. [See Oudin, p. 659.]

51. *llega:* the original meaning *acercar, arrimar,* of *llegar* (from Latin *applicare*) was common in the Middle Ages and the Siglo de Oro. [See *Corom.,* III, pp. 161–2.]

52. *par de:* J. de Luna corrects: "junto a la piedra."

53. [*duró:* Antwerp has *turó* here, *durar* in other places. This vacillation was common until the seventeenth century; see *Corom.,* II, p. 209.]

54. *disperté: desperté* [the latter is the Burgos reading; *dispertar* was colloquial; see *Corom.,* II, p. 155].

55. *avivar el ojo: andar con cuidado y diligencia* [R. J. Cuervo, *Obras* (Bogotá, 1954), I, p. 1207]; *avisar:* "be on guard," "be prudent."

56. *jerigonza:* "jargon," "slang." [*Perc.,* p. 148: "peddlers' French"; *Covarr.,* p. 637: "un cierto lenguaje particular de que usan los ciegos con que se entienden entre sí."]

57. *ingenio:* "native intelligence"; *Perc.,* p. 151: "wit." [See *Covarr.,* p. 737; *A Pal.,* p. 95.]

58. See Acts 3:6: "Ni tengo plata ni oro; mas la que tengo 'te doy"; Provb. 8:10–11: "Recibid mi enseñanza, y no plata; y ciencia antes que el oro escogido; porque mayor es la sabiduría que las piedras preciosas ..."

59. *siendo ciego:* "though blind"; concessive use of the gerund.

60. *niñerías:* see note 11, on *nonada;* a return to the Prologue. [Santa Teresa, *Vida* (Austral), p. 167: "No sé si hago bien de escribir tantas menudencias. Como vuesa merced me tornó a enviar a mandar, que no se me diese nada de alargarme ni dejase nada, voy tratando con claridad y verdad lo que se me acuerda."]

61. *bueno de mi ciego:* See Clemencín's note to *Quijote,* I, Chap. 40: "El adjetivo *bueno* suele tener un sentido irónico, como cuando se dice *el bueno del hombre, buena alhaja.* También se dice *buen dinero es ése,* en demostración de menosprecio, denotando que el dinero es poco . . ."

62. *allende: además.*

63. *decía [que] Galeno:* The authority of Galen, Greek physician of the second century A.D., remained great during the sixteenth century. [See *Celest.,* I, p. 36.]

64. *pasión:* "suffering," "pain," "illness." [See *Celest.,* II, p. 205.]

65. *cosed:* the reading in Antwerp or Burgos; the later Alcalá edition has *coged,* probably a correction, which several modern editions have accepted [González Palencia: "Acaso se dijera *cosed* como se decía *cosecha* en lugar de *cogecha.*"] The original spelling could have been a confusion with the verb *cocer,* "to cook," which is spelled *cozer* in other places of the novel. [Juan de Luna in 1620 corrected: "cozed tal yerba"; *Corom.,* I, p. 828: "hasta el s. XVI se pronunció *cozer* con *z* sonora."] I have not corrected or changed words in the original text when they are not unintelligible.

66. *con:* "despite"; also, a few lines later, "con todo su saber."

67. *no vi:* a redundant *no,* for emphasis.

68. *sotileza: sutileza; sotileza* is the medieval form.

69. *me finara: me muriera* (a verb of frequent use in the Middle Ages).

70. *contaminaba:* "hindered," "harmed secretly." [Covarr., p. 352: "manchar, dañar secretamente, y sin que se eche de ver." The emendation *contraminaba*, adopted by many editors since Foulché-Delbosc, is not necessary, since the term found in all three 1554 versions is intelligible.]

71. *a mi salvo:* "to my advantage." [*Autors.*, VI, p. 34: "a su salvo, ... hacer alguna cosa a su satisfacción, sin peligro, con facilidad, y sin estorbo."]

72. *por contadero: poco a poco, una por una* [Autors., II, p. 543: "Locución con que se da a entender que el sitio o pasaje por donde es preciso pasar, es tan estrecho que no puede ser sino uno por uno"; see *Loz.*, XXXIV, p. 147; J. de Luna corrects: "por cuenta."]; *hacerle menos:* "deprive him of."

73. *laceria: miseria* (spelled *lazeria* in the original).

74. *entendiendo en: ocupándome en.*

75. Translate *sacando pan no por tasa* ("sparingly"), *mas buenos pedazos ...*

76. *para rehacer ... faltaba:* "to make good, not the point in play, but the devilish need which the bad blindman inflicted upon me." *Rehacer la chaza* is to play over a disputed point in the game of *pelota*. [See *Seraph.*, p. 82; *Covarr.*, p. 900.]

77. *no había el que se la daba ... tenía lanzada en la boca y* [*tenía*] *la media aparejada:* "no sooner had the giver begun the motion of giving it [the *blanca*] than I had the penny introduced into my mouth and the half-penny ready." With a single motion Lázaro hides the larger coin in his mouth and takes out one of the half-coins which he kept in it. [*Lanzar* in the sixteenth century often meant "introduce," "slide into"; see Rumeau, *Bull. Hisp.* (1962), pp. 228–35.] Two *blancas* equaled a *maravedí*, 34 *maravedís* a *real*, 330 an *escudo*, 375 a *ducado*.

78. *de mi cambio:* "by my exchange"; *anichilada:* the medieval form of *aniquilada* [see *Corom.*, I, p. 218.]

79. *de antes: antes.* [*Denantes, enantes* were old forms,

though still used in rural speech today; see *Corom.*, I, p. 220.]

80. *capuz:* "cloak" [Rowland].

81. *cabe: cerca de, junto a.*

82. *besos:* a common metaphor; *Covarr.*, p. 712: "dar besitos al jarro, menudear el beber poco a poco."

83. *a buenas noches: sin nada; lo* refers to *jarro.* [*Lis.*, p. 28: "Cuando no pensares, te hallarás vieja como yo, y si no tienes algún pegujal para sustentar la vida a la vejez de lo que ganares siendo moza, puédeste quedar a buenas noches"; see *Celest.*, II, p. 85.]

84. *dende en adelante: de ahí en adelante.* [See *Gill.*, III, p. 709.]

85. *pobreto: pobrete, desgraciado.* [The dimunitive in *-eto* was practically nonexistent in old Spanish; see F. González Ollé, *Los sufijos diminutivos en castellano medieval* (Madrid, 1962), p. 313; *muleto* was probably of Mozarabic origin; see *Corom.*, III, p. 476. *Pobreto* appears to be an Italianism—from *poveretto*. See M. Alemán, *Guzmán de Alfarache* (Madrid: Clásicos Castellanos, 1953), I, p. 59, and IV, p. 10.]

86. *agora: ahora* (from Latin *hac hora*), meaning here *entonces;* the medieval form, which persists in literature until the seventeenth century. [See *Corom.*, II, p. 942.]

87. *antes: sino al contrario.*

88. *descuidado:* "carefree."

89. *desatinó:* "stupefied."

90. *Lo que ... da salud:* a proverbial expression of Biblical origin; Deut. 32:39: "Yo hago morir, y yo hago vivir; Yo hiero, y yo curo." [See note 253; *Celest.*, I, p. 224: "Seguro soy, pues quien dio la herida la cura."]

91. *trepa:* "wound," "cuts"; *negra:* "sad," "nasty"; throughout the text the adjective *negro* has this metaphorical force: "negros remedios," "negro alguacil," "negra que llaman honra," etc. [*Covarr.*, p. 826: "Es color infausta y triste, y como tal usamos desta palabra, diciendo: negra ventura, negra vida, etc."]

92. *ahorrar dél:* "be rid of him" [J. de Luna corrects: *despachalle*]; a common idea in proverbs and jest-books; see S. de Horozco, in *Marq.*, p. 293: "A quien te quiere matar, madruga y mátalo."

93. *repelándome:* "pulling out my hair." [See Juan del Encina's *Aucto del Repelón* (1509).]

94. *mirá:* very probably—the original text has no accents —for *mirad;* one of the shortened imperatives, like *saltá, olé, andá* later, which were of general use in the Siglo de Oro. [See *Vald.*, pp. 69–70.]

95. *castigaldo: castigadlo,* a common metathesis; *de Dios lo habréis:* J. de Luna corrects: "Dios os lo pagará."

96. *tiento:* "el palo que usan los ciegos" [*Autors,* VI, p. 273].

97. *atentaba: tentaba,* "touched." [*Covarr.*, p. 163: "Es tocar alguna cosa con la mano y percibir con el sentido del tacto; propio de los ciegos y de los que andan por lugares oscuros y sin luz."]

98. *más da ... desnudo:* "more giveth the miser than the one that hath it not to give." [*Perc.*, II, p. 80; a common proverb; see *Santill.*, p. 454; *Vald.*, p. 84; *Vall.*, n.p.; *O'Kane*, p. 107.]

99. *hacíamos Sant Juan:* "we moved on"; refers to the custom of ending a contract with one's servants or land-lord on St. John's day. [See *Núñ.*, p. 95r.]

100. *Almorox:* a village in the NW, wine-growing region of the province of Toledo. The places mentioned in the narrative after Salamanca—Almorox, Torrijos, Escalona, Maqueda—were all on the same road from Salamanca to Toledo.

101. *tornábase ... llegaba: se hacía mosto él, y todo lo que tocaba.*

102. *Partillo hemos: Lo partiremos* (a split future). [This construction lasted throughout the sixteenth century; see *Kenist.*, 32.64.]

103. *postura:* "pact," "agreement." [*Siete Partidas*, I, p. 1: "Estas leyes son posturas et establecimientos et fue-ros."]

104. *el despidiente:* the events leading to Lázaro's *despedida,* "leave-taking," from the blindman (the hero's leave-taking; but also the narrator's, who ends therewith his first chapter).

105. *duque della:* don Diego López Pacheco, Duke of Escalona, Marquess of Villena, Count of Santisteban, and a relative of Charles V, had been one of the most illustrious noblemen in Spain; hence the reference here. [After his death in November, 1529, he was succeeded by his son, of the same name, who died in 1556. The older Duke had supported in Escalona a retinue of artists and intellectuals, some of unorthodox views, like Pedro Ruiz de Alcaraz and Juan de Valdés. The villages mentioned in the story are bunched together in a region that had been associated with this religious restlessness around 1525. See M. J. Asensio, *HR* (1959), pp. 78–102.]

106. [*en un mesón:* the Burgos reading; Antwerp: *en mesón.*]

107. *pringado:* made the sausage drip fat by cooking it; *pringadas:* chunks of bread dipped in the fat. [See *Covarr.,* p. 657.]

108. *el pecador del ciego:* See Clemencín's note to *Quijote,* I, p. 46: "*Pecador* significa aqui ... *menguado, mezquino, desdichado ...: es voz más de compasión que de vituperio.*"

109. *Lacerado de mí:* "Alas, wretch that I am!" [Rowland]; there is also a pun on Lázaro's name, which H. de Onís renders: "Lacerated should be my name!"

110. *Si queréis ... algo:* J. de Luna corrects: "¿Queréis achacarme algo?"

111. *ascondía: escondía;* the older form (Latin *abscondere*),which was colloquial in the sixteenth century. [Burgos has *escondía.* See *Corom.,* II, p. 356; *Ter.,* II, p. 227.]

112. *huelgo:* "breath."

113. *agonía:* "anxiety." [*Autors.,* I, p. 118: "excesiva ansia." See *Fern.,* pp. 46, 140; *Joseph,* p. 47.]

114. *gulilla:* "inner throat." [*Autors.*, IV, p. 99: "La caña del cuello por donde entra el manjar al estómago"; see *Perc.*, p. 138.]

115. *destiento: exceso, desmesura, alteración.* [As in the expression *sacar de tiento,* or, in the opposite sense, *andarse con tiento; tiento* alone meaning, *Covarr.*, p. 958: "moderación y recato en lo que se va haciendo." *Destiento* was an uncommon word, and other translations are possible: such as "probing," "sounding," which in Bataillon's opinion would be "une dérivation humoristique de *tiento,* sondage."]

116. *rascuñado: rasguñado.* [*Rascuñar* is the older form, from which *rasguñar* derives; see *Corom.*, III, p. 1008; *Celest.*, I, p. 79.]

117. *merecía:* The subject is *garganta;* the allusion is to Lázaro's hunger. [See note 230.]

118. *sinjusticia: injusticia.* [See *Cortes.*, p. 425; *Ter.*, I, p. 170.]

119. *por que: por lo que.*

120. *con ser ... malvado:* "though ..."; concessive, unlike the previous *con sólo apretar.* [J. de Luna corrects: "Aunque fueran de aquel malvado."]

121. *negar la demanda:* "deny the claim," a legal term. [See *Márq.*, p. 269.]

122. *así que así:* "it wouldn't have been a bad idea"; corresponding to a gesture of the hand, indicating "so-so" (French *comme-ci, comme-ça*).

123. [*laváronme ...:* There was a proverbial phrase: "Me lavas la cabeza después de descalabrada"—Torres Naharro, *Comedia Tinellaria,* I, 148; or *Santill.*, nº 589: "Quebrar el ojo e untar el casco"; see *Gill.*, III, p. 468.]

124. *discantaba: glosaba,* "built up," "developed" (like musical variations); [*Perc.*, p. 99: "to discourse, to make many words or much ado of"; see *Oudin,* p. 267; *Autors.*, III, p. 294.]

125. *renegaba:* "cursed." [The verb meant "to curse" or "to blaspheme" from the use of such expressions as

"Reniego de la fe y de la crisma que recibí"—a practice officially denounced in 1526; see *Cort.*, IV, p. 479; *Celest.*, I, p. 50; *Gill.*, III, p. 415.]

126. *más aína: mejor, más facilmente.* [*Aína* alone meant "quickly"; see *Corom.*, I, p. 65; still used in rural speech.]

127. *ensangosta: estrecha.* [An antiquated word; see *Corom.*, I, p. 214.]

128. *priesa: prisa.* [*Priesa* was in general use until the eighteenth century.]

129. *Olé: Oled;* another apocopated imperative. [*Corom.*, III, p. 556, gives 1780 as the first written instance of the interjection *olé*—"bravo."]

130. *ni curé: ni me preocupé.*

131. *Otra día: el día siguiente;* this appears several times in the text.

132. *llegando: llegando yo.*

133. ... *relámpago:* a proverb, "to jump from the frying pan into the fire"; *Núñ.*, p. 59: "Huí del trueno, topé con el relámpago"; also, p. 58r: "Huyendo del toro, cayó en el arroyo." [In his *Adagiorum Chiliades* (Basel, 1520), V, 5, p. 144, Erasmus had commented upon "fumum fugiens in ignem incidi"; which was recalled in the Prologue of *Vall.:* "... Platón, siendo tan cortesano orador, en el Libro de la República dice: *fumum fugiens in ignem incidi,* como quien dice: huyendo del toro, caí en el arroyo ..."; see *Lis.*, p. 32. Also a medieval motif; *Libro de los Exenplos,* ed. Keller (Madrid, 1961), p. 380: "De temer es quando es malo el señor, / que después averá otro peor."]

134. *paletoque.* "coat," "cassock." [See *Oudin*, p. 499; *Perc.*, p. 182: "a jerkin with short skirts."]

135. *bodigo:* "bread offering," given to the church in honor of the dead.

136. [*tocino:* Either its absence is routine or is characteristic, depending on the context, of a *cristiano nuevo,* of Jewish or Moslem origin.]

137. *falsopeto:* a purse or pocket placed on the chest for

greater safety; *Perc.*, p. 125: "a pocket in the bosom, such as priests use in their cassocks or frocks to carry their handkerchief or book in." [See Gili Gaya, *NRFH* (1949), pp. 160–2.]

138. *hagáis:* this hesitation between the singular and the plural of the second person is not infrequent. [R. O. Jones comments: "The effect is of sudden weight and solemnity."]

139. *Valencia:* known for its candied fruits and other sweets.

140. *por cuenta: contadas.*

141. *tan blanco el ojo:* "as for the meat, it was all in my eye" [L. How]; i.e., "me quedaba tan en blanco ("blank," "empty") como el blanco del ojo"; a common expression, with the added pun here on the coin *blanca.* [*Loz.*, XXXIV, p. 143: "¿Por dineros venís? Pues ¡tan blanco el ojo!, caminá"; see *Oudin*, p. 109; *Perc.*, p. 46: "quedar en blanco, to remain frustrate of one's purpose."]

142. *demediara: llegara a la mitad;* "I would to God I might have had half as much as was sufficient" [Rowland].

143. *cabezas de carnero:* Since the Middle Ages, Spaniards had abstained from meat on Saturdays, except in Castile, where it was customary to eat the heads, giblets and feet of animals. [See *Covarr.*, p. 660; López Navío, "Duelos y quebrantos, los sábados," *Anal. Cerv.* (1957), pp. 169–91.]

144. *paso:* "softly," "quietly."

145. *salto: asalto.* [*Perc.*, p. 216: "assault"; see *Autors.*, VI, p. 31.]

146. *ofertorio: Autors.*, V., p. 29: "la parte de la misa en la cual, antes de consagrar, ofrece a Dios el sacerdote la Hostia, y el vino del cáliz."

147. *concheta:* diminutive of the earlier *concha,* a shell-shaped collection bowl.

148. *compasaba:* "measured out," "rationed." [*Covarr.*, p. 344: "repartir la hacienda y el gusto de modo que no venga a faltar, se llama compasar ..."]

149. *confradías: cofradías* [the Burgos reading]; *confra-
día* is the older word. [See *Corom.*, III, p. 564; still
used in León; see Alonso Garrote, *El dialecto vulgar
leonés* (Astorga, 1909), p. 154.]

150. *mortuorios:* alludes to the meals held during funerals.
[*Guev.*, p. 121, describes the charms of small-town
living: "Mirar cómo bailan las mozas, dejarse convidar en las bodas, hacer colación en los mortuorios ..."]

151. *saludador:* "healer," "quack," who used spittle for
curing [particularly rabies; *Covarr.*, p. 923: "Muchos
de los que dicen ser saludadores son embaidores y
gente perdida"].

152. [*porque dije:* the Burgos reading; Antwerp: *porque
dice.*]

153. *no que ... fuese:* "not that he would dispose of him
however it might be most to his service" [L. How].

154. *cuasi:* a semicultured form (Latin *quasi*), used, as
casi has been, since the Middle Ages. [See *Corom.*,
I, p. 718; Cuervo, *op. cit.*, II, pp. 83–5.]

155. *vezado: avezado,* "accustomed." [*Bezo*—Latin *vitium*
—and *bezar* were the older forms.]

156. *vía: veía.*

157. *a abajar: si bajara.* [The intransitive *abajar* was common in the Siglo de Oro; see *Celest.*, II, p. 46. Of
modern use in Salamanca, see *Lamano,* p. 169.]

158. *teníades ... haríades ... remediásedes:* Such second-
person verbal forms with *esdrújulo* accents were used
until the seventeenth century; modern *teníais, haríais,
remediáseis.* [See Menéndez Pidal, *op. cit.*, p. 107.]
Later in the story we find *errábades, quisiéredes, habíades,* etc.

159. [*arcaz:* the Alcalá reading; Antwerp and Burgos:
arte.]

160. [*alguna:* the Alcalá reading; Antwerp and Burgos:
algunas.]

161. *ayudalle: a ayudarle.*

162. *Cuando no me cato:* "When I least expected it."

[*Covarr.*, p. 319: "Cuando menos me cato, cuando no pensé."]

163. *cara de Dios:* an expression used when picking up a piece of bread from the ground [See G. Correas, *Vocab. de refranes* (Madrid, 1924), p. 544]; here the adoration of the bread, however, is very literal, and akin to the sacramental ironies dominant in Chapter II. [There is no need for the farfetched linguistic hypothesis of J. Terlingen, *Studia Philol. Hom. a D. Alonso, III*, pp. 463–78.]

164. *paraíso panal:* "breadly paradise" (as in *paraíso terrenal*).

165. *en dos credos:* "in an instant," like *en un credo, en un santiamén*, etc.; a frequent expression, used here with contextual effect.

166. *terciana derecha:* "a real tertian fever."

167. *Sant Juan, y ... ciégale:* "St. John, strike him blind!"; St. John was the patron saint of servants, though this could be a mere exclamation.

168. *Nuevas malas:* "evil tidings," also "misfortunes"; there is a pun, too, on *nueve:* "Nine evils God send unto thee," Rowland translated.

169. *recebillo: recibirlo;* as in *recibir la comunión.*

170. *del partido:* "from the cut portion"; *al pelo que él estaba:* "in the direction in which it was cut."

171. *trujo: trajo.* [The *u* forms *truxe, truxese*, etc., alternated in the sixteenth century with those in *a*, as they do in *Lazarillo;* see *Vald.*, p. 52.]

172. *aunque: aunque son.*

173. *proprio: propio* [as in the Burgos text]. [See note 75 to *El Abencerraje.*]

174. *do: donde.* [see *Corom.*, II, p. 190.]

175. [*ratonado: Celest.*, II, p. 30: "que en cortezón de pan ratonado me basta para tres días."]

176. *fortuna:* "misfortune," again, as in the title and the Prologue [see note 12].

177. [*duran:* the Antwerp spelling here is *turan*.]

178. *cuanto que alegre: un poco alegre.*

179. *agora* ... *agujeros:* [*que*] *cerrando ahora* [*mi amo*] *los agujeros.*

180. *donos:* the archaic plural of *don* (from *dominu*), used often in a derogatory sense. [See *Celest.*, I, pp. 63, 258, II, p. 174; *Lis.*, p. 198; *Joseph*, p. 32; G. Vicente, *Don Duardos*, ed. Alonso, p. 50; *Quijote*, II, p. 26: "Pues voto a tal—dijo don Quijote, ya puesto en cólera—, don hijo de la puta, don Ginesillo de Paropillo."]

181. *esgremidor: esgrimidor.* [The older form of the verb was *esgremir;* see *Vald.*, p. 54; *Corom.*, II, p. 374.]

182. *ternía: tendría.* [Or *terné* for *tendré;* very common in the sixteenth century; see Cirot, *RF* (1907), p. 889; V. García de Diego, *Gramat. Histór. Española* (Madrid, 1951), p. 132.]

183. *sintí: sentí* [as in Burgos], "I perceived," "I realized." [Not "to hear," as in Italian or modern Argentine, but to perceive with all five senses; see *Corom.*, IV, p. 190.]

184. *quedito:* "very quietly." [*Celest.*, II, p. 87: "Escucha, que hablan quedito."]

185. *de yuso:* "beneath," "below," here "earlier." [See *Vald.*, p. 101; *Celest.*, I, p. 233: "de Dios en ayuso."]

186. *Lo cual ... no comer: Lo cual* [*el dormir*] *yo hacía mal, y echábalo* [i.e., *achacábalo*] *al no comer.*

187. [*rey de Francia:* has been referred by some to the French defeat at Pavia and the captivity of Francis I (1525–26) as a way of dating the work. But Francis I had a long history of troubles, and so did other French kings. The expression "el rey de Francia," rather, was used generally for emphasis or for comparison. See L. de Rueda. *Registro de representantes*, Paso IV, in *Pasos completos* (Madrid: Aguilar, 1944), p. 164: "No terná más que ver la Justicia con él que el rey de Francia."]

188. *previlegiada: privilegiada* [the Burgos reading]. [See *Corom.*, III, p. 899.]

189. *atapárselos: tapárselos;* both words were usual. [*Ata-*

par is still used in León; see Alonso Garrote, *op. cit.*,
p. 129; *Amad.*, p. 36.]

190. *aparejo:* "instruments," "tools"; in other places, "opportunity," "situation," "preparation." [Very common in the sixteenth century; *Covarr.*, p. 130: "lo necesario para hacer alguna cosa."]

191. *a destajo ... Penélope:* "we seemed to have Penelope's web for a job" [L. How] [The reference to Penelope was common knowledge. See *Celest.*, II, p. 121.]

192. *dispensa: despensa* [as in the Burgos text]. [Here Antwerp has the etymological form—from *dispensare*.]

193. *no arcaz:* again a superfluous *no* for emphasis.

194. *sobre sí:* [*que*] *sobre sí.*

195. *hace poca* [*guarda*]: "gives little [protection]."

196. *todavía ... faltando:* "still if it be missing it will be missed" [L. How].

197. [*es que*] *armaré ... dentro:* "will be that I catch," "that I trap." [J. de Luna corrects: "es armarles por de dentro." *Covarr.*, p. 145: "Armamos a las perdices y a otras aves, y llamamos perchas los engaños con que las asimos."]

198. *contino: continuamente.*

199. *puesto caso que:* "even though." [J. de Luna corrects: "aunque no había menester salsas." See A. de Madrid, *Arte para servir a Dios,* BAC 38, p. 108.]

200. *trampilla del gato: ratonera,* "mousetrap."

201. *elevado y levantado:* "excited and aroused." [Alcalá has *alterado* for *elevado;* J. de Luna: "andaba tan alerta y desvelado."]

202. [*culebro:* The word play is not so forceful as when Calisto, in love with Melibea, says, "Melibeo soy," *Celest.*, I, p. 41; *culebro,* though not so frequent as *culebra* for "snake," did exist; *Alex.*, 10c (P): "culebro"; see D. Lida for a Judeo-Spanish proverb from Smyrna, *NRFH* (1958), p. 277: "Si culevros parió, por eyos demandó"; according to J. B. Trend, *The Lang. and Hist. of Spain* (London, 1953), p. 132, the

Hebrew Bible of Ferrara translated Gen. 3:1 thus: "y el culebro era artero ..." *Serpiente*, also used for the *serpens* of the Vulgate, was a more literary and less colloquial term. On Lázaro's expulsion from his "breadly paradise," see A. Piper, *Hispania* (1961), pp. 267–71.]

203. [*mientra(s)*: All three 1554 editions have this archaic form.]

204. *saltos:* See note 145.

205. *no me topase:* The use of a redundant *no* after verbs indicating fear or doubt was general. [See *Kenist.*, 8.26.]

206. *cayese con ella: diese con ella*, "found it."

207. *cuando ... diligencia:* "diligence is vain," a proverbial concept; *Vall.*, n.p.: "do falta dicha, por demás es diligencia." [See *Gill.*, I, p. 225.]

208. *cañuto:* "hollow reed." [See *Covarr.*, p. 292.]

209. *sentimiento:* "lamentations," "groaning" [Rowland].

210. *recordarme: reanimarme.*

211. *maleficio:* in the archaic sense of *daño*. [See Juan Ruiz, *Libro de buen amor*, Cl. Cast., I, pp. 89, 222; *Joseph.*, pp. 42, 86, 125, 145.]

212. *... ballena:* Jonah's three days in the belly of the whale, Jonah 1:17, recalled in the parable, Matt. 12:40: "... así estará el Hijo de Hombre en el corazón de la tierra tres días y tres noches."

213. *ensalmaba:* cured with *ensalmos*, popular charms and conjurations. [See *Covarr.*, p. 521; *Quijote*, III, p. 99. For examples of them, *Loz.*, XVII, p. 71 and LXIV, p. 258: "Santo Ensalmo se salió, y contigo encontró, y su vista te sanó. Ansí como esto es verdad, ansí sanes deste mal, amén."]

214. *dende a quince días: de allí a quince días* [J. de Luna].

215. *gallofero:* "loafer," "beggar," who depended on the *gallofa* or food distributed by the monasteries to the poor. [See *Covarr.*, p. 625; *Corom.*, II, p. 643.]

216. *de nuevo ... criase:* The meaning of *de nuevo* here is "from the start," "from scratch," "anew." [Not

"once more" or "recently," as in other cases—earlier
in the novel, "Ahí tornaron de nuevo a contar mis
cuitas"—; see Foulché-Delbosc, *RH* (1928), pp.
508–20. This has been shown by A. Castro to be
semantically a transplantation of the oriental concept
of creation as a continuous and immanent process:
Hacia Cervantes (Madrid, 1957), p. xix ff. This he
also considers proof that the author was a *cristiano
nuevo*. I also suspect that our author was a *converso*,
but not for this reason. Such meanings of Judeo-
Moslem origin—like *hidalgo* or *nuevas*—were widely
accepted and in general use, as Castro himself has
proved.]

217. *escudero:* "squire," the lowest rank among *hidalgos;*
Covarr., p. 543: "el hidalgo que lleva el escudo al
caballero, en tanto que no pelea con él ... En la paz,
los escuderos sirven a los señores de acompañar delante sus personas, asistir en la antecámara o sala;
otros se están en sus casas y llevan acostamiento
"salary" de los señores, acudiendo a sus obligaciones
a tiempos ciertos. Hoy día más se sirven dellos las
señoras, y los que tienen alguna pasada huelgan más
de estar en sus casas que de servir, por lo poco que
medran, y lo mucho que les ocupan." His lack of
resources was proverbial. [*Núñ.*, p. 51r: "escuderos
de Hernán Daza, nueve debajo de una manta";
Horoz., p. 61: "a escudero pobre, taza de plata y olla
de cobre"; *Horoz.*, p. 380: "a un pobre hidalgo, tres
cofradías y un galgo"; *Márq.*, p. 317: "escudero de
lanza en puño, mucha presunción y dinero ninguno."]

218. *que me parecía: porque me parecía* [J. de Luna].

219. *vee: ve.* [See note 33.]

220. *en junto: por junto,* "in bulk." [See *Autors.*, IV, p.
332.]

221. *a punto:* "ready."

222. *lóbrega:* "gloomy," "mournful" [*Perc.*, p. 160], a key
word for the imagery of the entire chapter. [*Vald.,*

p. 112, considered it uncultured. *Corom.*, III, pp. 119–22, shows that *lóbrego* was associated frequently with death and the afterlife; Santillana wrote of "las lóbregas fonduras" of Hell, F. Barreto of "de Cocyto ás lôbregas moradas"; "todo esto suscita el tema cristiano de la oscuridad que inflige el pecado a sus seguidores, le negrura moral de las almas condenadas, y los infinitos matices figurados de la palabra negro" —concludes Corominas. Bonilla's ed. of *L. de T.*, p. 138: "Casa *lóbrega y triste* se llamaba el imperio de la Muerte"; see *Farsa del triunfo del Sacramento,* in Rouanet, *Col. de autos.* (Barcelona, 1901), III, p. 363; see also Cuervo, *Obras,* II, pp. 90–2.]

223. *Desque fuimos entrados:* "As soon as we were in." [J. de Luna: "Habiendo entrado." The formation of compound tenses of intransitive verbs with *ser* survives but declines during the sixteenth century; see *Kenist.*, 33.82.]

224. *escudillar la olla: Perc.*, 118: "to take out all the pottage and meat in the pot." [See *Covarr.*, p. 543.]

225. *no ser [cosa] para [contar] en cámara:* "Not for the drawing room," "not appropriate to the occasion." [There was a popular refrain. *Covarr.*, p. 275: "No sois vos para en cámara, Pedro, / no sois vos para en cámara, non, / sino para en caramanchón (a garret, a less formal place)."]

226. *aliento:* "desire," besides the usual sense of "breath," applied to *muerto,* that follows. [*Perc.*, p. 18: "breath, spirit."]

227. *tajo:* wooden block for sitting or for chopping meat. [Torres Naharro, *Com. Aquilina;* see *Gill.*, III, p. 799: "con tal que traigáis iguales / los tajos en que os sentéis."]

228. *pásate como pudieres:* "manage as thou canst" [L. How].

229. *caer de mi estado:* "fall in a faint." [Literally, "fall from one's height," French *tomber de haut;* see note 366.]

230. *de mejor garganta:* "the most moderate eater." [*Covarr.*, p. 630: "mujer de buena garganta, suelen decir en las aldeas a las mozas templadas, que no son golosas"; J. de Luna; "Todos los amos que he tenido me han dado la palma de sobrio."]

231. *los de por Dios:* "those I had begged for," saying "una limosna por amor de Dios"; *pordiosear:* "to beg."

232. *coxqueaba: cojeaba,* "what his weakness was," a common expression. [See *Celest.*, I, p. 42; *Horoz.*, p. 424; *Gill.*, III, p. 747.]

233. *se comediría: se adelantaría.* [*Covarr.*, p. 342: "anticiparse a hacer algún servicio o cortesía, sin que se lo adviertan o pidan."]

234. *continente:* "temperate," "continent" [from *continencia.*]

235. *párate allí: ponte allí.*

236. *hecimos: hicimos.* [See Manéndez Pidal, *op. cit.*, n⁰ 120.5.]

237. *ella tenía ... era menester:* On some benches there was a reed framework, "upon which were spread the bedclothes, which, from not being washed very regularly, did not look like a mattress, though they served as one, with a great deal less wool than was needed." In other words they were only bedclothes, but so faded and colorless that they could be taken for a mattress.

238. [*puede:* in the Burgos text; Antwerp: *puedo.*]

239. *enjalma: albardilla,* "saddle pad"—thus the animal comparison that follows. [*Covarr.*, p. 526: "cierto género de albardoncillo morisco, labrado de paños de diferentes colores."; *Núñ.*, p. 87: "No hay tal cama como la del enjalma."]

240. *entrecuesto: espinazo.*

241. *alfamar:* "blanket," "quilt," usually red. [See *Covarr.*, p. 82; from the Arabic *hanbal,* "carpet"; see *Corom.*, I, p. 124. An uncommon word; see Castillejo, *op. cit.*, II, p. 280; *Fern.*, p. 31; still used in Salamanca, see *Lamano*, p. 210.]

242. *capean:* "steal capes" or cloaks.

243. *rifar y encenderse:* "never ceased quarreling and being angry." [*Rifar: reñir,* the older sense of the word. *Encenderse:* "vale también enojarse mucho"—*Autors.,* III, p. 441, probably from such expressions as *encenderse en ira.*]

244. *servía de pelillo:* "serving as a humble assistant." [*Covarr.,* p. 935: "servir de pelillo, hacer servicios de poca importancia y de mucha curiosidad."]

245. *marco de oro:* A gold mark was a "peso de media libra que se dividía en 50 castellanos" [Cejador]. In one of the conde Claros *romances,* "A caza va el emperador," we read: "Dad mil marcos de oro al conde / para sus armas quitar; / dad mil marcos de oro al conde / para mantener verdad," etc.

246. *Antonio:* famous fifteenth-century maker of Toledo blades.

247. *aceros tan prestos: aceros* meaning *filos,* "edges"; *prestos:* "ready," "keen" (not a common usage; refers probably to the well-tempered steel).

248. *cercenar: a cercenar.*

249. [*paso sosegado:* traditionally a nobleman's gait, not a merchant's or a Jew's; L. de Rueda, *Medora,* Paso VII, *op. cit.,* p. 261, shows Gargallo dreaming of bettering his social status: "Haré matar todos mis parientes, ... porque no sepan mi linaje. El vivir mío no quiero que sea mercadante, porque es vida desasosegada. Cuando fuere por la calle llevaré un paso grave y muy gallardo."]

250. *so:* "under."

251. *al quicio: en el quicio* [J. de Luna].

252. *conde de Arcos ... de vestir:* a composite reminiscence of the *Romancero:* the author applies to the conde de Arcos words from "Medianoche era por filo," a conde Claros ballad: "Levantáos, mi camarero, / dadme vestir y calzar." [Since 1493 there had not been a Count, but a Duke of Arcos. The Alcalá edition has *conde Alarcos,* which Morel-Fatio, *Etudes sur l'Esp.,* I, p. 126, thought was a cross with *Claros.*

See also C. P. Wagner, *MLN* (1915), p. 89; Menéndez Pidal, *op. cit.*, p. 96.]

253. *Bendito ... remedio:* Deut. 32:39: "Yo hago morir, y
yo hago vivir; Yo hiero, y yo curo"; Job 5:17–8: "He
aquí, bienaventurado es el hombre a quien Dios castiga
... Porque El es el que hace la llaga, y El la vendará; El
hiere y sus manos curan." [See note 90. *Celest.*, II, p.
63: "que, cuando el alto Dios da la llaga, tras envía el
remedio"; related to Biblical sentences rather than to
the *Proverbios de Séneca* referring to human love; see
Heller and Grismer, *HR* (1944), p. 36.]

254. *cuenten: cuente,* the earlier *Quién* taking on a collective force.

255. *grandes ... ignoran:* the inscrutable God of the Old
Testament; see Job 5:9, or Rom. 11:33: "¡Oh profundidad de las riquezas de la sabiduría y de la ciencia
de Dios! ¡Cuán incomprensibles son sus juicios, e
inescrutables sus caminos!", or Deut. 29:29: "Las
cosas secretas pertenecen a Jehová nuestro Dios."

256. *traspuso ... calle:* "disappeared down the ... street."
[Today, *transponer la esquina. Perc.*, p. 234: "to van-
ish away."]

257. *alto y bajo:* nouns, meaning *piso alto y piso bajo.*
[See *Covarr.*, p. 202.]

258. *sin hacer represa:* "without staying" [Rowland] or
"making a stop." [*Represa,* "sluice," was a term applied to water mills, *A Pal.*, p. 162: "Término que se
aplica a la aceña y a donde en el río se dividen las
aguas"; since Lazarillo was born in one, here the author's experience seems to join his hero's. See note
19.]

259. *requesta: galanteo, requerimiento.* [J. de Luna: "vi a
mi amo requebrando a unas rebozadas." *Recuesta*
was the usual form. But *Guev.*, pp. 151, 164, 251–2,
writes: *requestar,* from *requestar de amores;* also *A.
Pal*, p. 162.]

260. [*frescas riberas:* a cliché; *Celest.*, II, p. 205: "Vamos
a ver los frescos aires de la ribera."]

261. *Macías:* the fourteenth-century Galician troubadour and proverbial model of faithful lovers. [*Celest.*, I, p. 117: "aquel Macías, ídolo de los amantes"; see G. Vicente, *Don Duardos,* p. 64; etc.]

262. The Ovid who wrote the *Ars amatoria,* the *Remedia amoris,* the *Amores.*

263. *calofrío: escalofrío.* [The latter, very common today, was a rustic term then; see *Autors.*, II, p. 76.]

264. *no validas:* "not appreciated," "not well received." [Rather than *válidas.* Both forms were uncommon in the sixteenth century. *Autors.*, VI, p. 414: "valido: se toma también por recibido, creído, apreciado, o estimado generalmente."]

265. *instituídas:* a Latinism for *instruídas* [J. de Luna].

266. *si viniese: ver si viniese.*

267. *experiencia:* "attempt," perhaps, but even more "wait," "vigil"—referring to the earlier *esperar.* [J. de Luna: "mas en vano fue mi esperanza."]

268. *do: donde.*

269. *suficiente:* "able." [See Note 348.]

270. [*caridad:* the Burgos spelling; Antwerp; *charidad.*]

271. *ensiladas:* "stored away," from *silo.* [*Covarr.*, p. 522: "Ensilar, llamamos al comer mucho, porque el comilón echa en el vientre como si fuese un silo."]

272. *mas vale ... no hurtalle:* also proverbial; Correas, *op. cit.*, p. 302: Más vale pedir que hurtar."

273. *así ... parece bien:* "as God help me, I am of that opinion" [Rowland].

274. *Debe ... suelo:* "It must be on ill-boded soil" [H. de Onís]. [J. de Luna corrects: "de mal solar."]

275. *de mal pie: de mal agüero,* "ill-omened." [It implied entering with the wrong foot, the left one, not *de pie derecho.* See F. Abrams, *Duquesne Hisp. Rev.* (1962), no. 2, pp. 19–31.]

276. *dellas:* J. de Luna corrects: "una dellas." [On these contractions of prepositions and pronouns, see García de Diego, *op. cit.*, p. 122.]

277. *te prometo: te aseguro;* also elsewhere in the text.

[*Autors.*, V, p. 400: "Vale también aseverar o asegurar alguna cosa."]

278. *quel pecador ... del mío:* "I wished that the poor man would have eased his pain by help of my work"—playing on two meanings of *trabajo;* for the first one, "effort," "trouble," see note 5. [J. de Luna corrects: "que el pobre remediase su necesidad de mi trabajo."] *quel: que el,* as in the prologue, *quel soldado.*

279. *como:* "when," "as" [temporal].

280. *almodrote:* Covarr., p. 100: "cierta salsa que se hace de aceite, ajos, queso y otras cosas"; *Perc.*, p. 20: "hodge-podge of garlic and cheese."

281. *Así ... como es ello:* "May I have good luck as sure as this is true!" [*Celest.*, II, pp. 42, 157: "buenos años te dé Dios"; *Lis.*, p. 125: "¡Así tuviese yo ciertas cien doblas como ello es verdad!"]

282. *papar aire:* literally, "swallow air," "mouth air." [*Papas:* soft food given to children. *Covarr.*, p. 852: "Papar ... es comer cosas blandas sin mascar"; see *Seraph.*, p. 8.]

283. *teniendo ... cabeza de lobo:* Rowland translates: "and I, poor Lázaro, was . . . to be his purveyor"; refers to the custom in the countryside, after killing a wolf, of carrying its head from door to door in order to collect rewards from the neighbors; generally, to depend on something or someone for sustenance or profit. [See *Covarr.*, p. 250; Wagner, *art. cit.*, p. 89; *Loz.*, XXIV, p. 107.]

284. [*no me mantuviese:* the Alcalá text; Antwerp and Burgos: *me mantuviese.*]

285. *nadie ... no tiene:* another proverbial expression; *Celest.*, II, p. 79: "Ninguno da lo que no tiene."

286. *con dárselo ... lengua suelta:* "both of whom received in the name of God, the one (the priest) from his hand-kissing faithful, the other (the blindman) through his glib tongue" [H. de Onís].

287. *mancilla: lástima.*

288. *fantasía:* "*fantasía* por presunción" [*Vald.*, p. 22].

[See *Covarr.*, p. 584; *Joseph.* p. 45; *Cortes.*, p. 417; *Perc.*, p. 125: "fond conceit."]

289. *cornado ... lugar: cornado de trueco:* "a penny's worth of change." [The *cornado* was a copper coin of low value, no longer current after 1500.] *ha de andar el birrete en su lugar:* "the cap must needs stand in his old place" [Rowland], alluding probably to magistrates and other high-placed persons who avoid losing their dignity, come what may. [Today, a *birrete* is a "gorro de magistrado o de abogado," *Corom.*, I, p. 463.]

290. *vivienda:* "way of life" here. [J. de Luna corrects: "vida."]

291. *punido: castigado;* another Latinism. [See *Cortes.*, p. 69.]

292. *desde a:* "after."

293. *Cuatro Calles:* Still today, the "Plaza de Cuatro Calles" is a square between the Cathedral and the Zocodover in Toledo.

294. *desmandarme a demandar:* "went so far as to beg," "transgressed by begging." [Not a new pun; G. Vicente, *op. cit.*, p. 48: "¡Mucho os desmandáis vos! / ¿Queréislo vos demandar?"]

295. *bonetes:* red caps in the oriental style, like a fez; a specialty of Toledo [M. Bataillon; see P. de Medina, *Obras* (Madrid, 1944), p. 120].

296. *muy pasado me pasaba:* another word play with the different meanings of *pasar; me pasaba:* "I got along," "I managed"; *muy pasado: muy sufrido,* generally speaking, from the earlier use of *pasar,* "to endure," "to suffer"—i.e., "long-suffering"; or, perhaps, "emaciated," "dead hungry"; Cejador suggests "pasado de hambre"; Menéndez Pidal, *op., cit.,* "muy pasado, enjuto, demacrado, como la fruta pasa."

297. *lóbrega ... oscura:* on *lóbrega,* see note 222. [Eccl. 7:2: "Mejor es ir a la casa del luto que a la casa del convite: porque aquello es el fin de todos los hombres; y el que vive parará mientes"; Is. 42:7, etc.]

298. *tesoro de Venecia:* refers to the treasures of St. Mark in Venice, or simply to Venice, a proverbial example of splendor. [See *Celest.*, I, p. 263; *Lis.*, p. 162; *Quijote*, VIII, p. 282.]

299. *merca: compra.* [See G. Sachs, *RFE*, XXIII, pp. 306–7.]

300. *quebremos el ojo al diablo:* let us "break the devil's envious eye," translates Rowland; the expression, besides, was used traditionally to celebrate the first use or beginning of something [M. Bataillon; Correas, *op. cit.*, p. 635: "quebrar un ojo al diablo: hacer estrena en algo"; *Perc.*, n.p.: "let us break the neck of the devil"].

301. *le:* refers back to the *real.*

302. *defunto: difunto* [the Burgos reading]. [*Defunto*, from Latin *defunctus*, is the more archaic form; see *Corom.*, II, p. 171.]

303. *llorando ... y diciendo:* on mourning women, *Covarr.*, p. 516: "Este modo de llorar los muertos se usaba en toda España, porque iban las mujeres detrás del cuerpo del marido, descabelladas, y las hijas tras el de sus padres, mesándose y dando tantas voces que en la iglesia no dejaban hacer el oficio a los clérigos."

304. *hacienda: asuntos, negocios,* "affairs." [Italian *faccenda;* for the older meaning of *hacienda*, see *Corom.*, II, p. 862; *Alex.*, p. 826b: "que tres dias complidos duró essa fazienda"; *Gill.*, III, p. 176.]

305. *ganarme por la mano: adelantárseme.* [See *Covarr.*, p. 786.]

306. *un punto: un momento.*

307. *oficial:* a craftsman who has an *oficio.*

308. *mantenga Dios a vuestra merced:* This was an ordinary form of greeting, used among the lower classes but offensive to a well-born person. ["Antonio de Guevara, en una de sus *Epístolas familiares,* fechada en 1533, escribía: Si por malos de sus pecados dijese uno a otro en la Corte: *Dios mantenga o Dios os guarde,* le lastimaría en la honra y le darían una

grita. El estilo de la Corte es decirse unos a otros: *Beso las manos de vuestra merced"*—quoted by J. Pla Cárceles, "La evolución del tratamiento de 'vuestra merced' ", *RFE*, X, p. 246.]

309. *Mira ... enhoramala:* "Confound thee" [L. How]. [Cejador and other editors accentuate *mirá*, which is also plausible.]

310. *poca arte:* "little breeding," "low degree."

311. [*Bésoos:* in the Burgos edition; Antwerp: *Bésos*.]

312. *atestaba de mantenimiento:* "stuffed me full with his greetings," referring back to *mantenga Dios a vuestra merced*.

313. *a estar: si estuvieran.* [See *Kenist.*, 37.731.]

314. *Costanilla:* one of the main streets of Valladolid (the later "Platería"), leading to the Plaza Mayor [J. Agapito y Revilla, *Las calles de Valladolid* (Valladolid, n.d.), p. 342].

315. *tan limitada:* "of such stingy habits." [*Covarr.*, p. 767: "Ser un hombre limitado, es ser corto y poco liberal."]

316. *no los sacara de su paso:* "all the world is not able to bring them out of their pace" [Rowland].

317. *media talla:* "middling rank." [J. de Luna: "medio talle."]

318. *malilla:* a reference to a card game, the *juego del hombre*, where the *malilla* is the joker—by extension "an all-purpose man." [See M. Alemán, *Guzmán de Alfarache*, Cl. Cast., III, p. 91; V. Espinel, *Marcos de Obregón*, Cl. Cast., I, p. 208.]

319. *comido por servido:* "you work for your meals" (with no other pay than your food).

320. *sois librado ... sayo:* "you are paid out of his wardrobe, with a sweated doublet or a frayed cape or coat." [One recalls Areusa's grievances in *Celest.*, II, p. 43: "Gástase con ellas (las señoras) lo mejor del tiempo e con una saya rota de las que ellas desechan pagan servicio de diez años."]

321. *asienta hombre: asienta uno,* a common use of the indefinite [French *on*].
322. *privado:* "favorite," "privy counselor," "minion."
323. *Réille hía: Le reiría,* a split conditional. [See *Gill.,* III, p. 423.]
324. *cumpliese: conviniese.*
325. *reñiese: riñese* [the Burgos reading], from *reñir.*
326. *puntillos agudos:* "sharp hints," "provocative words" [French *pointes*].
327. *malsinar:* "malign," "denounce." [From the Hebrew *malsín,* an informer on one of his own kind; see *Corom.,* III, pp. 208–9; *Guev.,* pp. 143, 164, 165. What follows is reminiscent of Guevara's criticism of court life, "Prólogo": "La curiosidad es ... el querer saber las vidas ajenas ... Lo más en que ocupan los hombres el tiempo es en preguntar y pesquisar qué hacen sus vecinos."]
328. *valerosa: de valer, de valía,* "of value." [See *Joseph.,* pp. 38, 179.]
329. *alquilé:* common for *alquiler* in the sixteenth century. [See *Celest.,* II, p. 154; *Loz.,* LXIII, p. 256; *Núñ.,* p. 79: "mula de alquilé, Dios te guarde de tres, que de dos ciertos es."]
330. *le alcanzaron ... alcanzara:* "for two months they figured that he owed what he wouldn't get in a year"— again the use in the same sentence of the two meanings of a verb; L. How translates: "and for two months they made it what he wouldn't make in a year."
331. *a estotra puerta:* "try next door"; a common proverbial expression [*Santill.,* p. 68: "a esotra puerta, que ésta no se abre." *Covarr.,* p. 886: "a esotra puerta, cerrar la puerta, despedir"; see *Horoz.,* p. 60; *Celest.,* II, p. 199; *Seraph.,* p. 63; *Lis.,* p. 90.]
332. *De que:* "As soon as."
333. *alhajas de casa:* "furnishings." [*Covarr.,* p. 87: "Alhaja. Lo que comúnmente llamamos en casa colgaduras, tapicería, camas, sillas, bancos, mesas."]

334. *otra tal:* "another such difficulty." [Related to the "feminine indefinite"; see *Kenist.*, 7.26. M. Bataillon: allusion to the *copla:* "Señor Gómez Arias / duélete de mí, / que soy niña y sola / y nunca en tal me vi," quoted in the *Segunda ... Celestina* of F. de Silva (Madrid, 1874), pp. 419, 435.]

335. *entregar de la deuda:* "settle us this debt." [See *Autors.*, III, p. 518; J. de Luna: "para pagar la deuda." *entregar de: hacer entrega de;* see *Amad.*, p. 257.]

336. *sino cuanto:* "except when," "except the times that." [Not a common or clear usage; probably refers back to the fact, stated a few words earlier, that the boy spent those few days with the squire, *except when* he came to the house of his neighbors, etc.; *cuanto: el tiempo que;* see Cuervo, *op. cit.*, II, p. 650.]

337. *allegaron: alegaron* [the Alcalá reading]. [J. de Luna: "alegaban."]

338. *porquerón:* "bailiff" [*Perc.*, p. 193].

339. *señalándose:* "standing out," "declaring itself."

340. *la Merced:* an order chiefly engaged in the redemption of captives; known for its worldly ambitions, particularly in America. [See M. Bataillon, *El sentido de L. de T.* (Paris, 1954), p. 13; *Loz.*, XV, p. 23; A. de Valdés, *Diál. de Mercurio y Carón*, Cl. Cast., p. 40ff.]

341. *que: a quien.*

342. *perdido:* "very fond of"—retaining also something of "damned" [R. O. Jones].

343. *rompí:* "broke in"—whereas the earlier *rompía* meant "wore out." (Walking barefoot was, of course, a form of penitence, and certain, more saintly orders were shoeless, or "discalced.")

344. *buldero: bulero,* "pardoner" of the "Santa Cruzada," who sold indulgences granting full remission of their sins to those who contributed in this manner toward the campaigns against the infidels in North Africa and elsewhere; the sale of these printed sheets, with

blank spaces for the name of the buyer and the
amount paid, brought considerable profits to the State.
[Serious abuses were denounced in the Cortes of 1512,
1520, 1523, 1525, 1528, 1542, 1548, etc.—see *Cort.*,
IV, pp. 369, 408, 488, V, 211. On the 20th of September, 1524, Charles V had issued a decree to prevent
pardoners from forcing their indulgences upon the
people; see *Cort.*, IV, pp. 488–92.]

345. *presentaba: regalaba,* "made presents"—as against the
earlier *presentar,* "to present."

346. *murciana:* from Murcia, famous for its vegetables;
Rowland translates: "cabbage lettuce." [*Loz.*, II, p.
9: "col murciana."]

347. [*a*] *cada* [*uno*] *sendas peras verdiñales: verdales* or
verdiñales applied to fruit that remain green in color
after ripening. [*Oudin.*, p. 668: "poire de Bergamote"; *Covarr.*, p. 207: "Bergamota. Un género de
peras estimadas en mucho por ser de tanta suavidad
y jugo."]

348. *suficiencia:* "abilities," "instruction." [*Autors.*, VI,
p. 178: "capacidad o inteligencia bastante para obtener alguna dignidad o empleo."]

349. *bien cortado romance:* "well-turned vernacular," a
metaphor from tailoring. [Cuervo., *op. cit.*, II, p.
540: "(cortado), tratándose de un idioma, y con los
adverbios *bien* o *mal,* pronunciarlo con exactitud,
limpieza o claridad."]

350. *reverendas:* letters by a Bishop authorizing the ordination or appointment of a priest, beginning with
the words "Reverendo en Cristo Padre ..." [See *Covarr.*, p. 909.]

351. *Sagra:* NE of Toledo, toward Madrid.

352. *se acordó:* "decided."

353. *despedir: despachar.*

354. *jugar la colación:* "play for the late evening supper,"
usually consisting of sweets. [See *Covarr.*, p. 375; G.
Vicente, *Don Duardos*, p. 74.]

355. *alguacil:* a marginal note by Rowland: "Pardoners

have always had with them a sergeant to take up gages in such houses as refuse to pay for their pardon at the time appointed."

356. *cargase:* "gathered," "thronged." [See *Celest.*, II, p. 111; *Lis.*, p. 169; *Autors.*, II, p. 176.]

357. *que:* a storyteller's redundant but expressive *que*, implying *sucedió que*, etc. [See *Vald.*, p. 150.]

358. *atrás que:* "besides," "if earlier." [J. de Luna; "demás de."]

359. *echacuervo:* "swindler," "charlatan," a term often applied to pardoners. [*Fern.*, p. 155: "¿Sois echacuervo o buldero / De Cruzada?"; *Perc.*, p. 102: "a deceiver, a cozener, one that goeth from place to place and liveth by cozening and deceit"; see Gillet, *Rom. Phil.* (1956–57), pp. 148–55.]

360. *directe ni indirecte:* "openly or in secret"; near-Latin terms used in legal writing. [*Cort.* of 1523, IV, p. 389: "direte ni yndirete"; *Autors.*, III, p. 292: "descubierta o paliadamente, derecha o torcidamente."]

361. *vara:* the staff, emblem of office for various judicial positions.

362. *razonamiento:* "discourse."

363. *les fue a la mano:* "prevented them," "stopped them." [J. de Luna: "lo defendió."]

364. *puestas las manos:* "joining his hands in prayer."

365. *se hunda conmigo ....:* See Moses' miracle to confound the unbelievers, Num. 16:30: "Mas si Jehová hiciere una nueva cosa, y la tierra abriere su boca, y los tragare con todas sus cosas y descendieren vivos al abismo, entonces conoceréis que estos hombres irritaron a Jehová," etc.

366. *siete estados:* Rowland translates literally: "as far as the depth of seven men under the ground." [*Covarr.*, p. 561: "Es cierta medida, de la estatura de un hombre ... La profundidad de pozos, o otra cosa honda, se mide por estados."]

367. *el negro alguacil:* alguazils dressed in black; again, both the literal and the figurative meanings of *negro*

(as in "el negro de mi padrastro"); see note 91.

368. *cae de su estado:* See note 229.

369. *espumajos:* usually *espumarajos,* "frothing at the mouth." [Reinforces the different animal comparisons in this passage; *Covarr.,* p. 559: "Algunos animales echan espumarajos, y particularmente el puerco jabalí."]

370. *visajes:* "grimaces," "distortions." [*Covarr.,* p. 1011: "hacer visajes, tener diferentes semblantes, y de ordinario se hace por algún gran accidente o especie de locura."]

371. *bien se le emplea: bien empleado le está,* "it serves him right." [Calisto's love quatrain in *Celest.,* II, p. 19: "Corazón, bien se te emplea / Que penes e vivas triste, / Pues tan presto te venciste / Del amor de Melibea"; or the "Romance de Alhama": "¡Bien se te emplea, buen rey, / buen rey, bien se te empleara!"]

372. *tuvieron: sujetaron, contuvieron.*

373. *planto: llanto.* [Latin *planctus;* see *Vald.,* p. 145.]

374. *no eran parte: no bastaban.*

375. *señaladamente ha señalado:* in whom God so "conspicuously has revealed a sign"; L. How translates ably: "through whom God so manifestly made himself manifest."

376. *la muerte ... arrepentimiento:* Ezeq. 33:11: "Diles: Vivo yo, dice el señor Jehová, que no quiero la muerte del impío, sino que se torne el impío de su camino, y que viva"; 2 Peter 3:9: "El Señor ... es paciente con nosotros, no queriendo que ninguno perezca, sino que todos procedan al arrepentimiento." [A phrase used by the Inquisition when it decided to spare a life; see the sentence against P. Ruiz de Alcaraz, *RABM* (1903), p. 138: "queriendo usar con él de nuestra misericordia, teniendo alguna esperanza de su conversión, siguiendo la doctrina de Nuestro Salvador y Redentor Jesucristo, que no quiere la muerte del pecador, salvo que se convierta y viva ..." etc.]

377. *aquel: a aquel (pecador)*—this absorption of the prepositional *a* is frequent in the text.

378. [*persuadido, de la muerte y pecado le quisiese perdonar:* I place the comma after *persuadido*, though most editors have it after *pecado: persuadido de la muerte y pecado.*]

379. *en la cabeza:* royal or papal diplomas and grants were placed by the recipient on his head as a sign of respect [Cavaliere].

380. *ensayo: engaño, burla.* [*Covarr.*, p. 521: "algunas veces significa el embuste de alguna persona que, con falsedad y mentira, nos quiere engañar y hacer prueba de nosotros"; see *Gill.*, III, p. 124.]

381. *industriado:* "rigged." [*Industria:* also *maña, astucia; caballero de industria:* "knave," "adventurer."]

382. *iglesia mayor: Catedral.*

383. *echar agua:* "sell water"—another situation related to a proverb, *Núñ.* (written in 1549), p. 57r; "Gente de Toledo, gente de Dios, es suya el agua y vendémosela nos." [Núñez adds the comment: "Dicen esto los curitos, que echan agua alli"; *curitos* or *coritos* were from Northern Spain.]

384. *mi boca era medida:* "my wishes were fulfilled." [*Lis.* p. 32: "deja esos rodeos, que tu boca será medida de lo que pidieres"; see *Quijote*, VIII, p. 80; Huidobro, *Hom. a M. Artigas* (1931), p. 3.]

385. [*sábados:* It would be like a chaplain of Jewish descent to cease doing business on Saturdays rather than Sundays. One of the most severe and influential *estatutos de limpieza*—statutes excluding New Christians—had been established in the Cathedral of Toledo in 1547; see A. Sicroff, *Les controverses de statuts de pureté* (Paris, 1960), p. 95ff.]

386. *y. todo ... maravedís:* "and the other days of the week I kept all that I earned over thirty *maravedís.*"

387. *jubón ... viejo:* "jerkin of old fustian"—fustian being a kind of twilled cotton.

388. *sayo ... y puerta:* "a worn coat with braided sleeves and open collar"; *tranzada: trenzada.*

389. *Cuéllar:* in the province of Segovia, one of the oldest sword-making towns in Spain; Lázaro's sword is as old as that of his former master, the squire, whom he is imitating here.

390. *retraídos:* refugees from justice who seek asylum in churches and monasteries. [See Cotarelo, *BRAE* (1916), pp. 700–1.]

391. *renegué del trato:* "I did foreswear the office" [Rowland].

392. *oficio real ... tienen:* alludes to the frequent saying, *Núñ.,* p. 59r: "Iglesia, o mar, o casa real, quien quiere medrar."

393. *por justica:* See note 22.

394. *pregonero:* among the lowest of city oficials. [*Núñ.,* p. 46: "en linajes luengos, alcaldes y pregoneros"— the latter meaning "the great and the small"; B. de Villalba, *El pelegrino curioso* (Madrid, 1886), I, p. 390: "este bellaco, que era un pregonero, que con ropa al pescuezo andaba pregonando por la ciudad, que es el oficio más infame que hay."]

395. *entiende en ello:* See note 74.

396. *Sant Salvador:* a parish church in Toledo, [whose "capilla de Santa Catalina" was known for its Gothic altarpiece and rich donations. The notorious *converso* Juan Alvarez Zapata had been buried there with, it was rumored, Judaic ceremonies; see Sicroff, *op. cit.,* p. 119.]

397. *procuró casarme:* "undertook to marry me"; perhaps also "managed to marry me"—ironic, in view of what follows.

398. *servicial: criada, sirvienta*—a noun. [Other editors regard it as an adjective, with a comma after *diligente.* Berceo, *Vida de Santo Domingo,* p. 553a: "parientes del enfermo e otros serviciales"; "*Libro de Apolonio,* ed. Marden, p. 195b: "Quiero te dar de buen oro dozientos quintales. / Otros tantos de plata e muchos

serviçiales"; G. Vicente, "Comedia del viudo," in *Teatro y Poesía* (Aguilar), p. 261: "No cuanto es de servicial, / no venga el diablo acá / que más haga"; *Loz.*, XLIII, p. 182: "¿Sois servicial a la señora Lozana?"]

399. *en veces ... cuándo ... que deja: en veces ... cuándo* are distributives, meaning *unas veces, ... otras veces,* or *cuándo ... cuándo*. [See Cuervo, *op. cit.*, II, p. 639; J. de Luna corrects: "otras veces un par de bodigos."] *Al pie de:* "nearly"; *una carga:* "a load," what can be loaded on a mule or a horse. [On the article before *bodigos* and *calzas*, see *Seraph.*, p. 87: "pues los presentes que envía por año, ... las cargas de ansarones, ... las cestas de huevos frescos, la docena de perdices, el par de los carneros, ... las cargas de vino tinto," etc.]

400. *Y mejor ... la verdad:* "And God help them better than they say the truth" [Rowland]—an ambiguous statement.

401. *se pague:* "is pleased with."

402. *no me maravillaría ... salir della:* "I would not be surprised, someone seeing (i.e., if someone saw) your wife in my house," etc. [Most editors, following Cejador, place a comma after *alguno* and add suspension points—an unnecessary emendation.]

403. *prometo: aseguro.* (But in the preceding paragraph, *ha prometido* means "has promised.")

404. *tomóse: se echó.*

405. *otorgamos: consentimos, concedimos.* [Possibly a legal use of the term; see *Autors.*, V, p. 65.]

406. *con que me pese: que me pese* [J. de Luna.]

407. *hace pesar: causa pesar.*

408. *mesmo: mismo.* [The older *mesmo* was in use until the seventeenth century; but we find *mismo* in other places of the text.]

409. *Toledo ... fiestas:* this could refer to either the Cortes of 1525 in Toledo, shortly after Pavia, when Charles V was truly a *victorioso Emperador*, or to the stormy

Cortes of 1538, where the nobles refused to pay sub-
sidies but which were followed nonetheless by public
celebrations. [The victorious occasion in 1525 seems
more fitting, just as the defeat of 1510 was a more
appropriate background for the death of Lázaro's
father—see note 48, *la de los Gelves*. At any rate,
Lázaro associates ironically his own improvement
with the prosperous curve of national history;
though both could be brought down by the wheel of
Fortune. Critics have tried to date the novel, besides, by means of the reference to the Cortes of Toledo; for a recent discussion, see M. J. Asensio,
HR (1958), p. 78ff. If the date is 1525, they argue,
then the book was written shortly after. But the date
can be only a *terminus post quem;* an older author
could recall easily enough the days of his youth. It
is just as useless to suppose that the book was actually written *in* Toledo. Literary history proves that
temporal and spatial distance has been often the condition for literary creation. On the tourney and other
festivities that followed the Cortes of 1538, see San-
doval, *Historia de la vida y hechos del Emperador
Carlos V*, XXIV, Chap. IX.]

El Abencerraje

I have used, when in need of an English rendering, the oldest of English translations: the one included in the *Diana of George of Montemayor*, translated by Bartholomew Young (London: Edm. Bollifant, 1598). As our text is based on Villegas' *Inventario*, not on the *Diana*, I have been able to refer only to those passages in which the two texts coincide.

1. *virtud:* "virtue," "force," "valor." [*Perc.*, p. 244]; the word is used sometimes with a moral stress, on other occasions with emphasis on the qualities of force and courage. [*Autors.*, VI, p. 496: "significa también fuerza, vigor o valor ... Vale también integridad de ánimo, y bondad de vida."]

2. *esfuerzo:* "el ánimo, brío, valor" [*Covarr.*, p. 547].

3. *tabla:* "Llamamos tabla una pintura, por estar pintada en la tabla" [*Covarr.*, p. 949].

4. *oriente:* "En las perlas se llama aquel color blanco y brillante que tienen, lo que las hace más estimadas y ricas" [*Autors.*, VI, p. 50].

5. *subjecto: sujeto* [Latin *subjectus*].

6. *acrescienta: acrecienta,* "grows." [Latin *accrescere.* See Matt. 13:3–8.] This entire first paragraph of introduction appeared only in the version of the *Abencerraje* which was printed in the *Inventario* of Antonio de Villegas (Medina del Campo, 1565).

7. *don Fernando ... Antequera:* don Fernando (1379–1416), son of Juan I of Castile and doña Leonor, daughter of Pedro IV of Aragon, was coregent of Castile, distinguished himself in the wars against the Moors and captured Antequera in 1410; he was proclaimed King of Aragon, as Fernando I, in 1412. [The latter fact has been linked with the Aragonese origin of the

author of the text called *Corónica* (see H. Merimée, *Bull. Hisp.* (1928), pp. 147–81); but Fernando, called "el de Antequera," was not only a legendary but a poetic figure, who appeared in *romances:* see "De Antequera partió el moro," in the *Cancionero de romances* (Antwerp, shortly before 1550), ed. R. Menéndez Pidal (Madrid, 1914), p. 174. The capture of Antequera itself had been the subject of *romances fronterizos.*]

8. *Rodrigo de Narváez:* fought valiantly at Antequera in 1410, was appointed its governor and defended it against all attacks until his death in 1424; a celebrated, legendary captain much before the *Abencerraje* was written. [See F. del Pulgar, *Claros varones de Castilla* (Madrid, Cl. Cast.), p. 106; *Crónica de don Juan II,* Bibl. de Aut. Esp. 48 (Madrid, 1847), p. 329; the *romance* "De Granada partió el moro." For the historical background to the *Abencerraje,* see F. López Estrada, Introduction to *El Abencerraje y la hermosa Jarifa* (Madrid, 1957).]

9. *sino que:* "except that." [See *Kenist.,* 49.61.]

10. *paresce: parece* [Latin *parescere*].

11. *escriptos: escritos.* [See F. Hanssen, *Gram. hist. de la lengua castellana* (Halle, 1913), n° 160; *Corom.,* II, p. 362: "En el participio fue común la grafía cultista *escripto* desde antiguo."]

12. [*le hacían ... estrellas:* This complaint was a commonplace of Spanish historical writing; see particularly the Introduction to F. Pérez de Guzmán's *Loores de los claros varones de España;* for its origins, see M. R. Lida, *La idea de la fama en la Edad Media castellana* (México–Buenos Aires, 1952), pp. 146–7.]

13. *ley:* "religion." [This Spanish usage was perhaps of Jewish origin; the *Ley antigua o de Moisés* was the Hebrew religion.]

14. [*della:* The first edition of the *Inventario* (Medina del Campo, 1565) gives *d'ella;* later, *el uno d'ellos.*]

15. *ganalla ... defendella:* for *ganarla, defenderla;* see note 47 to *Lazarillo.*

16. *Alora:* This town, NW of Málaga, celebrated in a fa-

mous *romance,* "Alora, la bien cercada," was captured only in 1484, toward the beginning of the final campaign that led to the fall of Granada in 1492; the real Narváez could not possibly have been its *alcaide,* and the author is combining different periods in history.

17. [*cincuenta escuderos hijosdalgo:* numbers were used poetically in the *Romancero;* "Un día de Sant Antón, / ese día señalado, / se salían de San Juan / cuatrocientos hijosdalgo ..."; see "Cabalga Diego Laínez," etc.]

18. *a los gajes del Rey:* "at the King's pay" [B. Young]. [See *Covarr.,* p. 619.]

19. *inmortales ... Darío:* the bravest and best equipped soldiers of King Darius of Persia (521–485? B.C.), composing a kind of warrior élite. [See Herodotus, *Hist.,* VII. 83.]

20. *en muriendo uno:* "as soon as one died." [See *Kenist.,* 38.215.]

21. [*entraban:* This transitive use, as in English, was common in the sixteenth century; for example, *entrar la tierra,* "invade the country." [See *Autors.,* III, p. 512.]

22. *traya: traiga.* [See *Ter.,* II, p. 231; Hanssen, *op. cit.,* p. 225; R. Menéndez Pidal, *Manual de gramát. hist.,* p. 113.2.]

23. *sentidos:* "perceived," "noticed." [B. Young: "descried"; see note 183 to *Lazarillo.*]

24. *cuerno: Covarr.,* p. 389: "Los cuernos han servido de trompetas en la guerra." [B. Young: "cornet"; see *Alex.,* 848a.]

25. *hablando en:* "talking of diverse matters" [B. Young]. [The old construction *hablar en algo* was common in the Siglo de Oro; see *Corom.,* II, p. 860; Calderón, *El magico prodigioso,* ed. Morel Fatio, 1425–8; *Quijote,* I, p. 193: "y, hablando en la pasada aventura."]

26. *marlota:* "long Moorish cloak." [B. Young: "Barbary mantle"; *Covarr.,* p. 790: "vestido de moros, a modo de sayo vaquero; bien consta ser arábigo"; from the Arabic *mallûta,* see *Corom.,* III, p. 268.] *carmesí:* a

noun, "seda de color roja" [*Covarr.,* p. 308; from the Arabic *qarmaz;* see *Corom.,* I, p. 641. The entire passage recalls the "Romance del obispo don Gonzalo" in the *Cancionero de romances* from Antwerp; for a later version, of 1587, see Menéndez Pidal, *RFE* (1915), p. 133: "Vi tanta marlota azul, / tanto albornoz colorado, / tanta de la adarga blanca, / tanto brazo enaleñado"; López Estrada, *op. cit.,* p. 105, indicates coincidences also with the "Romance de Alatar"; it was traditional to mention the Moors' taste for luxury and sumptuous dress.]

27. *regazado: remangado,* "tucked up" [*Perc.,* p. 206; see *A Pal.,* p. 160; López Estrada, *op. cit.,* pp. 39–40].

28. *labrada: bordada* [as in *labores,* "needlework"; see *Ter.,* II, p. 222].

29. *darga: adarga.* [From the Arabic *dárqa;* see *Corom.,* I, p. 35; B. Young: "target."]

30. *membranza:* "remembrance." [*Membrar,* from Latin *memorare,* was somewhat archaic in the sixteenth century; see *Covarr.,* p. 902; *Corom.,* III, p. 375; *Vald.,* p. 113: "membrar, por *acordar,* usan los poetas, pero yo en prosa no lo usaría."]

31. *Cártama … Coín:* between ten and twenty miles WSW of Málaga; two fortified towns, settled by the Arabs, captured in 1485. [See F. del Pulgar, *Crónica de los Reyes Católicos,* ed. Carriazo (Madrid, 1943), p. 143ff.] Alora, NW of Málaga, is reasonably far from either Málaga or both Coín and Cártama, and Narváez could hardly have met Abindarráez after a short ride from Alora. The uses of geography in the story are as free and imaginative as those of history.

32. *erraron … pasar: por poco le dejaron pasar.*

33. *volvió por sí:* "made ready to defend himself."

34. *priesa: prisa.* [See note 128 to *Lazarillo.*]

35. *derribara: había derribado.*

36. *afrontados: afrentados.* [*Corom.,* II, p. 574; "*afrontar* … y *afrentar* fueron primitivamente variantes de una misma palabra, sin distinción semántica."]

37. *a no ser: si no fuera.* The conditional use of *a* is also found later in the text. [See *Kenist.*, 71.31.]

38. *espantado:* "amazed." [*Covarr.*, p. 551: "atónito, ... maravillado."]

39. *de refresco:* "anew," "afresh." [*Autors.*, V, p. 539: "de nuevo."]

40. *sola:* "alone," "only." [*Corom.*, IV, p. 269: "En los clásicos no es raro que el adjetivo *solo, sola,* funcione ideológicamente con el valor de este adverbio (*sólo, solamente*)."]

41. *rescibiendo: recibiendo.* [Words based on Latin intransitive verbs with the infinitive ending in *-ere* combined with those deriving from verbs in *-escere,* and the two endings evolved together; see Hanssen, *op. cit.,* nº 408. Later in the text we find the verbs *ofrescer, crescer, nascer, enflaquescer, acontescer, agradescer, reconoscer, conoscer, acaescer, merescer*—for *ofrecer, crecer,* etc.]

42. *martarte he: te mataré,* "a split future" [see *Kenist.,* 32.64]. Later on, *hablaros he, contaros he*—for *os hablaré,* etc.

43. *paró: reparó.* [*Covarr.,* p. 853: "parar ...: parar mientes, advertir, porque para el entendimiento a considerar."]

44. *aparejo:* "implements." [See note 190 to *Lazarillo.*]

45. *sospiro: suspiro.* [Frequent in the Siglo de Oro; see *Quijote,* V, p. 146.]

46. *dispusición: disposición.* [Cuervo, *Diccionario de construcción y régimen* (Paris, 1866–93), II, p. 1275: "Dícese del cuerpo humano cuando aparece apuesto, gallardo o robusto."]

47. [*Fortuna:* This appeal to Fortune in order to console a prisoner recalls the words of the conde de Cabra to the captured Boabdil; see Pulgar, *Crónica de los Reyes Católicos,* ed. Carriazo, p. 72.]

48. *do: donde.* [See *Corom.,* II, p. 190.]

49. *fialde: fiadle;* a common metathesis; later in the text, *agradesceldo, tenelda, teneldo*—for *agradecedlo,* etc.

50. *expiriencia: experiencia.* [See. *Ter.*, II, p. 229; *Corom.*, II, p. 465: "Todo a lo largo del s. XVI y XVII sigue vacilándose entre *espiriencia* y *esperiencia.*"]

51. *está: estad.* [See note 94 to *Lazarillo*. The familiar form of address appears in the same speech: *te dijere, verás, te quiero.*]

52. *captivo: cautivo* [Latin *captivus;* see *Quijote*, III, p. 292].

53. *Abencerrajes:* from *Ibn-al-Sarrāy:* "hijo del sillero"; there are many testimonies of the existence of this powerful clan in Arabic Andalusia during the fourteenth and fifteenth centuries; their massacre in Granada, in 1482 probably, was told in an existing legend, though in brief and fictionalized form. [For the beginning of the sixteenth we find in H. de Baeza, in *Relaciones de algunos sucesos de los últimos tiempos del Rey de Granada* (Madrid, 1868), p. 9: "... los Abencerrajes, que quiere decir los hijos del sillero, los cuales eran naturales de allende, y habían pasado en esta tierra con deseo de morir peleando con los cristianos. Y en verdad ellos eran los mejores caballeros de la jineta ye de lanza que se cree que hubo jamás en el reino de Granada"; see Pulgar, *op. cit.*, II, p. 39; Cirot, *Bull. Hisp.* (1929), p. 132, indicates an earlier killing of Abencerrajes in 1453. For background and bibliography, see López Estrada, *op. cit.*, p. 79ff.; and J. Caro Baroja, *Los moriscos del reino de Granada* (Madrid, 1957), pp. 47–9. Caro Baroja emphasizes the importance of *asabīyya*—pride in and loyalty to lineage—among Andalusian Arabs, whose communities were torn by family clashes and constant blood feuds.]

54. *acordar: recordar.* [*Acordar,* more frequent than *recordar,* was often used transitively; most usual was the reflexive construction, as in *Celest.*, I, p. 145: "Jamás te acuerdas cosa que guardas."]

55. *la flor:* as in the "Romance del Rey moro que perdió Alhama," in the *Cancionero de romances* (before

1550), ed. M. Pidal, p. 184: "Por matar los Bencerrajes / que eran la flor de Granada."

56. *quistos: queridos.* [Archaic, this word was combined generally in the Siglo de Oro with the adverbs *bien* or *mal;* see *Corom.,* III, p. 946.]

57. *escaso:* "parco, avariento, mezquino" [*Covarr.,* p. 536], "niggard" [B. Young].

58. *a dilatar;* See note 37.

59. *se entrara:* "were invaded," "were filled." [See note 21.]

60. *Vees: Ves.* [See note 33 to *Lazarillo.* We find later *ves.*]

61. *infelice: infeliz.* [Both were used in the sixteenth century; see Cervantes, *La ilustre fregona,* in *Novelas ejemplares,* Cl. Cast., XXVII, p. 291; *infelice* became archaic and poetic during the seventeenth century.]

62. *delicto: delito;* a cultured spelling. [Latin *delictum;* see *A Pal.,* p. 52; Menéndez Pidal, *op. cit.,* 3.2.]

63. *pasión:* "grief." [See note 64 to *Lazarillo.*]

64. *estraño: extraño.* [Latin *extraneus;* the Spanish word, being old and of popular use, was written often with *s* until the seventeenth century, sometimes with the meaning of "extraordinary"; see *Corom.,* II, p. 468.]

65. [*Abencerrajes:* In the first edition, 1565, *bencerrajes,* apparently a misprint, since it is in lower case and at the beginning of a line, the initial *A* being omitted.]

66. *deprendimos: aprendimos.* [R. J. Cuervo, *op. cit.,* II, p. 909: "Usóse haste el siglo XVII en el lenguaje culto; en el vulgar se conservó hasta el XVIII"; see *Ter.,* I, p. 221; Maniferro, no cultured speaker, says in *Rinconete y Cortadillo,* Cl. Cast., XXVII, p. 211: "Nunca inventaron mejor género de música, tan fácil de deprender."]

67. *allende: además.*

68. *siesta:* "el tiempo después de mediodía, en que aprieta más el calor" [*Autors.,* VI, p. 110]. [From Latin *hora sexta;* B. Young: "heat of the day."]

69. *Salmacis ... Troco:* In the classical myth, Ovid., *Met.*

IV.285–388, Salmacis was the nymph of a pool, who
made advances to the son of Hermes and Aphrodite;
when he refused, upon her wish their bodies became
one, called Hermaphrodite. [The latter was named
Troco in Spanish since the *General Estoria* of Alfonso
el Sabio, ed. Solalinde, Kasten and Oelschläger, II, pp.
212–20; also in Juan de Mena and the translation of
the *Metamorphoses* by Jorge de Bustamante, *c*.1540;
see M. R. Lida de Malkiel, *Rom. Phil.* (1959), pp. 7,
25, and M. Bataillon, *Bull. Hisp.* (1960), p. 202. The
identification of Abindarráez with Troco is clearer in
the *Corónica* version of the story; see López Estrada,
ed. cit., p. 365: "¡Oh, quién fuese Troco para poder
siempre estar junto con esta hermosa ninfa!" The first
edition of our text has *Trocho* for *Troco*.]

70. *rescebir: recibir.* [*Recebir* and *escrebir* were the older
forms; see Menéndez Pidal, *op. cit.*, 105.2.]

71. *dejastes: dejaste;* this preterite with *s* was common, by
analogy with other second-person verbal endings in *s;*
later in the story we find *fuistes, encontrastes, enseñastes, fiastes, escogistes;* but also *venciste.*

72. *dó estábades: dónde estábais;* later in the text, *perdiérades, quisiéredes,* etc. [See note 158 to *Lazarillo*.]

73. *certinidad: certeza.* [*Certinidad* or *certenidad* were in
use until the seventeenth century; see *Celest.*, I, p. 65;
Amad., p. 425; Santa Teresa, *Vida*, Ch. 2; Cervantes,
La entretenida, Act II, in *Obras* (Madrid: Aguilar), p.
470.]

74. *antes:* "rather," "on the contrary." [See Cuervo, *op.
cit.*, I, p. 489.]

75. *proprio: propio.* [Latin *proprius; Corom.*, III, p. 895:
"la pérdida de la segunda *r* por disimilación se ha pro-
ducido también, con mayor o menor extensión, en
port., fr. e it., pero sólo ha logrado generalizarse en
cast. y cat."; see *A Pal.*, p. 152; Menéndez Pidal, *op.
cit.*, 66.3.]

76. *desculpado: disculpado.* [For *desculpa*, see *Celest.*, I,
pp. 7, 179.]

77. *Narcisco:* Narcissus fell in love with his own reflection in the waters of a spring; see Ovid., *Met.*, III.341–510.

78. *coronado y vencido:* a typical gesture in classical literature and life, to celebrate triumphs in war, love, sports, etc. [For examples from Siglo de Oro writers, see Cuervo, *op. cit.*, II, p. 534.]

79. *punto: instante.*

80. *Venus ... manzana:* recalls the judgment of Paris, who pronounced Venus the most beautiful; see Ovid, *Heroides*, XV.59ff.

81. *cautela: engaño.* [See Tirso de Molina, *El burlador de Sevilla*, Cl. Cast., I, 317: "Mas si fue su amor cautela, / proseguid"; *Corom.*, I, p. 235.]

82. *convertió: convirtió* [Latin *convertere*].

83. *escusar: excusar, disculpar.* [See *Corom.*, I, p. 33.]

84. *vía: veía.* [See note 33 to *Lazarillo*.]

85. *escusado:* "supérfluo e inútil" [*Autors.*, III, p. 676.]

86. *invidia: envidia.* [A frequent form in the Siglo de Oro; see *Perc.*, p. 153; *Covarr.*, p. 740; from Latin *invidere*, "ver con malos ojos"; see *A Pal.*, p. 97.]

87. *ternéis: tendréis.* [Like *pornéis* and *vernéis*, still used in the Siglo de Oro; see V. García de Diego, *Gramática histórica española* (Madrid, 1951), p. 132.] Later in the text, *terná*, for *tendrá*.

88. *lástimas:* "dolor, pena y sentimiento" [*Autors.*, IV, p. 365.]

89. *abrazado: abrazo.*

90. *solamente: a solas.*

91. *otro día: al día siguiente.*

92. *estaciones:* The visit of various churches on Thursday or Friday of Holy Week was called *andar las estaciones*, with reference to the Passion of Christ; "the going from one church to another, in remembrance of Christ's being or remaining so long on Mount Calvary, so long in the garden, so long on the Cross, so long in the sepulchre" [*Perc.*, p. 120].

93. *alargar: alargarse*, "delay." [On *alargarse*, see Cuervo, *op. cit.*, I, pp. 311–3.]

94. *apercebíme: apercibíme,* "I prepared myself." [Cuervo, *op. cit.*, I, p. 534: "En la Edad de Oro se decía *apercebir*, y se conjugaba como *concebir*."]

95. *el alegría:* In the Siglo de Oro the article *el* was used before feminine nouns beginning with *a*, even when the latter was unstressed, as in *el abeja, el aspereza*, etc. [See Hanssen, *op. cit.*, p. 182; Santa Teresa wrote *el alegría*, see *Ter.*, II, p. 222.]

96. *cient: cien.* [Latin *centum;* first *cient*, then *cien* were used before a noun; see *Kenist.*, p. 715.]

97. *comigo: conmigo.* [Both were possible in the sixteenth century; see *Celest.*, I, p. 37; *Kenist.*, p. 716; antiquated by the eighteenth century, see *Autors.*, II, p. 436; Portuguese *comigo*.]

98. *consolar: consolarme.* [This omission of the reflexive pronoun—"most frequent in the nonfinite forms of the verb," *Kenist.*, 27.632—is characteristic of our text, as in the earlier *alargar* for *alargarse;* see Santa Teresa, *Vida* (Strasbourg), "Bibli. Romanica," p. 48: "consolóse tanto que me parece nunca más le oí quejar."]

99. *de el:* The preposition and the article or the pronoun contract in some places—*del, del, della, dello*—and in others not at all. [See *Ter.*, II, p. 222.]

100. *paso:* "softly," "quietly."

101. *prenda:* as a "pledge" [B. Young]. [There are no more details about it; the version of the *Crónica* of Toledo elaborates, see López Estrada, *Anales del la Universidad Hispalense* (1959), p. 23: "y así le dio un muy rico joyel que traía, y ella hizo lo mismo a él."]

102. *desposaron:* a secret kind of marriage. [Marriage by oath, in the presence of witnesses but not *in facie Ecclesiae*, was forbidden by the Council of Trent in 1564; it was a convention in the romances of chivalry; Jarifa's father must give his approval to her secret marriage later, as King Lisuarte did that of Amadís and Oriana; see J. Ruiz de Conde, *El amor y el ma-*

trimonio secreto en los libros de caballerías (Madrid, 1948).]

103. *escriptura: escritura.* [See note 11; B. Young translates: "deeds fitter for the imagination than to be written."]

104. *Qués: Qué es.* [For contractions with *que* or *qué*, see *Lazarillo,* note 8; see *Amad.,* p. 52.]

105. *oyo: oigo;* the older form. [See Hanssen, *op. cit.,* p. 228; *Ter.,* II, p. 230; Menéndez Pidal, *op. cit.,* 113.2.]

106. *corrido: avergonzado.*

107. *cumple: importa, toca.* [The *Diana* text reads: "porque esto a mí me toca."]

108. *nombre: cantidad, número.*

109. *quisierdes: quisiéreis.* [On the alternation between *leyéredes* and the syncopated *leyerdes,* or *vendiéredes* and *vendierdes,* see Menéndez Pidal, *op. cit.,* 113.2; *Ter.,* II, p. 223; Gil Vicente, *Don Duardos,* ed. D. Alonso, p. 167.]

110. *porné: pondré.* [See note 87.]

111. [*no os: nos* in the first edition of 1565.]

112. *cairé: caeré.* [See García de Diego, *op. cit.,* pp. 59–60; Gracián, *Criticón,* ed. Romera-Navarro, I, p. 311.]

113. *otro día:* See note 91.

114. *socorrer: socorrerse.* [See note 98.]

115. *del astucia.* See note 95; later, *el amiga.*

116. *a recado:* "con todo cuidado y seguridad" [*Autors.,* VI, p. 510].

117. *de hoy más: de hoy en adelante.* [See *Amad.,* p. 577.]

118. [*las guardas:* today would be masculine; of ambiguous gender in the Siglo de Oro, like *centinela, guía, espía, clima,* etc.; see Gracián, *op. cit.,* I, p. 207.]

119. *trayo: traigo.* [See Hanssen, *op. cit.,* p. 225; *Ter.,* II, p. 231; Menéndez Pidal, *op. cit.,* p. 113.2.]

120. *verná: vendrá.* [See note 87.]

121. *zurujano* (in the original, *çurujano): cirujano.* [See

Celest., I, p. 137; B. Young translates: "chirurgeon"; see *Corom.*, I, p. 811.]

122. *se teme deste caso:* "she fears this accident," B. Young translates.

123. *caso:* "pitiful case," B. Young translates. [See note 14 to *Lazarillo;* from Latin *casus*, "fall."]

124. *tristes: desgraciados.* [B. Young: "hapless."]

125. *tanto ... parte:* "to have been some part and means" [B. Young].

126. [*el: al* in the first edition of *Inventario,* a misprint apparently.]

127. *doblas zahenes:* "double ducats" [B. Young]. [On *zahenes, Corom.*, IV, p. 800: "Tomó nombre de la dinastía de los Beni Zayyén que reinaron en Tremecén desde el s. XIII"; on *doblas, Perc.*, p. 101: "piece of money called a double, containing 23 rials and a half."]

128. *cobdicioso: codicioso.* [*Cobdicia* was the medieval form of the noun, from Latin *cupiditas*.]

129. *hecistes: hiciste.* [See *Don Duardos,* ed. Alonso, p. 48: "de la fama, que hecistes / para vos."; Menéndez Pidal, *op. cit.* n° 120.5.]

Bibliography

Lazarillo de Tormes

Alter, Robert. *The Rogue's Progress*. Cambridge, Mass.: Harvard University Press, 1964.

Asensio, Manuel J. "La intención religiosa del L. de T. y Juan de Valdés," *Hispanic Review*, XXVII (1959), pp. 78–102.

Bataillon, Marcel (ed.). *La vie de L. de T*. Paris: Aubier, 1958.

Castro, Américo. Introduction to *La vida de L. de T*. Edited by E. W. Hesse and H. F. Williams. Madison: University of Wisconsin Press, 1948.

————. *Hacia Cervantes*. Madrid: Taurus, 1957.

Cavaliere, Alfredo (ed.). *La vida de L. de T*. Naples: Gianinni, 1955.

Croce, Benedetto. "L. de T., la storia dell' 'Escudero' ", in *Poesia antica e moderna*. Bari: Laterza, 1941.

Guillén, Claudio. "La disposición temporal del L. de T.", *Hispanic Review*, XXV (1957), pp. 264–279.

————. "Toward a Definition of the Picaresque," in *Proceedings of the IIId Congress of the International Comparative Literature Association*. The Hague: Mouton, 1962.

Jauss, Hans Robert. "Ursprung und Bedeutung der Ich-Form in *L. de T*.," *Romanistisches Jahrbuch*, VIII (1957), pp. 290–311.

Jones, R. O. (ed.). *La vida de L. de T.* Manchester: University Press, 1963.

Lida de Malkiel, María Rosa. "Función del cuento popular en el *L. de T.*," in *Actas del Primer Congreso Internacional de Hispanistas*. Oxford: Dolphin, 1964.

Marasso, Arturo. "La elaboración del *L. de T.*," in *Estudios de literatura castellana*. Buenos Aires: Kapelusz, 1955.

Márquez Villanueva, Francisco. "Sebastián de Horozco y el 'L. de T.'", *Revista de Filología Española*, XLI (1957), pp. 253–339.

Piper, Anson C. "The 'Breadly Paradise' of L. de T.," *Hispania*, XLIV (1961), pp. 267–271.

Riquer, Martín de (ed.). *La Celestina y Lazarillos*. Barcelona: Vergara, 1959.

Sicroff, Albert A., "Sobre el estilo del *L. de T.*," *Nueva Revista de Filología Hispánica*, XI (1957), pp. 157–170.

Siebenmann, Gustav. *Ueber Sprache und Stil im L. de T.* Bern: A. Francke, 1953.

Tarr, F. Courtney. "Literary and Artistic Unity in the L. de T.," *Publications of the Modern Language Association*, XLII (1927), pp. 404–421.

Wardropper, Bruce W. "El trastorno de la moral en el *Lazarillo*," *Nueva Revista de Filología Hispánica*, XV (1961), pp. 441–447.

Willis, Raymond S. "Lazarillo and the Pardoner: The Artistic Necessity of the Fifth *Tractado*," *Hispanic Review*, XXVII (1959), pp. 267–279.

Zamora Vicente, Alonso. *Qué es la novela picaresca*. Buenos Aires: Columba, 1962.

El Abencerraje

Bataillon, Marcel. "Salmacis y Trocho en *El Abencerraje*," in *Varia lección de clásicos españoles*. Madrid: Gredos, 1964.

————. Review of F. López Estrada, *El Abencerraje y la hermosa Jarifa, Bulletin Hispanique*, LXII (1960), pp. 198–206.

Carrasco Urgoiti, María Soledad. *El moro de Granada en la literatura del siglo XV al XX.* Madrid: Gredos, 1956.

Cirot, Georges. "A propos de la nouvelle de l'Abencerraje," *Bulletin Hispanique*, XXI (1929), pp. 131–138.

Crawford, J. P. Wickersham. "Un episodio de 'El Abencerraje' y una 'Novella' de Ser Giovanni," *Revista de Filología Española*, X (1923), pp. 281–287.

López Estrada, Francisco. Introduction to *El Abencerraje y la hermosa Jarifa.* Madrid: Publicaciones de la Revista de Archivos, Bibliotecas y Museos, 1957.

————. "El 'Abencerraje' de Toledo, 1561. Edición crítica y comentarios," *Anales de la Universidad Hispalense*, XIX (1959), pp. 1–60.

Mérimée, Henri. "*El Abencerraje* d'après diverses versions publiées au XVIe siècle," *Bulletin Hispanique*, XXX (1928), pp. 147–181.

Rumeau, A. " 'L'Abencérage,' un texte retrouvé," *Bulletin Hispanique*, LIX (1957), pp. 369–395.

Villegas, Antonio de. *El Abencerraje.* Edited by F. López Estrada and John Esten Keller. Chapel Hill: The University of North Carolina Press, 1964.

Whinnom, Keith. "The Relationship of the Three Texts of 'El Abencerraje'", *Modern Language Review*, LIV (1959), pp. 507–518.

Notes